© Groupe Polygone Éditeurs Inc. 1987
Tous droits réservés. Conçue et fabriquée au Québec.

Dépôt légal 1er trimestre 1987
Bibliothèque nationale du Québec
ISBN-2-920675-03-6

La Grande Collection Micro-Ondes

La Volaille

Grolier Limitée
MONTRÉAL, QUÉ.

Introduction

Comment utiliser ce livre
Conçus pour vous faciliter la tâche, les livres de la *Grande Collection* présentent leurs recettes d'une manière uniforme.

Nous vous suggérons de consulter en premier lieu la fiche signalétique de la recette. Vous y trouverez tous les renseignements dont vous avez besoin pour décider si vous êtes en mesure d'entreprendre la préparation d'un plat : temps de préparation, coût par portion, degré de complexité, nombre de calories par portion et autres renseignements pertinents. Par exemple, si vous ne disposez que de 30 minutes pour préparer le repas du soir, vous saurez rapidement quelle recette convient à votre horaire.

La liste des ingrédients est toujours clairement séparée du corps du texte et, lorsque l'espace nous le permettait, nous avons ajouté une photographie de ces éléments regroupés : vous disposez donc d'une référence visuelle. Cet aide-mémoire, qui vous évite de relire la liste, constitue une autre façon d'économiser votre temps précieux.

Par ailleurs, pour les recettes comportant plusieurs étapes de préparation, nous avons illustré celles qui nous semblaient les plus importantes pour le succès de la recette ou la présentation du plat.
La cuisson de tous les plats présentés est faite dans un four à micro-ondes de 700 W. Si la puissance de votre four est différente, consultez le tableau de conversion des durées de cuisson que vous trouverez à la page 6.
Soulignons que le temps de cuisson donné dans le livre est un temps minimal. Au besoin, si la cuisson du plat ne vous semble pas suffisante, vous pourrez le remettre au four quelques minutes. En outre, le temps de cuisson peut varier selon la teneur en humidité et en gras, l'épaisseur, la forme, voire même la provenance des aliments. Aussi, avons-nous prévu, pour chaque recette, un espace vierge dans lequel vous pourrez inscrire le temps de cuisson vous convenant le mieux. Cela vous permettra d'ajouter une touche personnelle aux recettes que nous vous suggérons et de reproduire sans difficulté vos meilleurs résultats.

Bien que nous ayons regroupé les informations techniques en début de volume, nous avons parsemé l'ouvrage de petits encadrés, appelés **TRUCS MO**, expliquant des techniques particulières. Concis et clairs, ils vous aideront à mieux réussir vos mets.

Dès la préparation de la première recette, vous découvrirez à quel point la cuisine micro-ondes fait appel à des techniques simples que, dans bien des cas, vous utilisiez déjà pour la cuisson au moyen d'une cuisinière traditionnelle.
Si pour vous, comme pour nous, cuisiner est un plaisir, le faire au four à micro-ondes agrémentera encore davantage vos préparations culinaires.
Mais c'est déjà prêt.
À table.

L'éditeur

Table des matières

La Grande Collection Micro-Ondes se veut une encyclopédie complète de l'art culinaire adapté à la cuisson au four à micro-ondes. Pour la première fois, les ménages québécois pourront consulter un ouvrage exhaustif, consacré à la cuisson micro-ondes, entièrement conçu et réalisé au Québec.

Chacun des vingt-six tomes se concentre sur un thème précis, ce qui en facilite la consultation. Ainsi, par exemple, si vous cherchez des idées pour apprêter une volaille, vous n'aurez qu'à vous référer à l'un des deux livres consacrés à cette question. Il est à noter que chaque livre s'accompagne de son index et que le dernier ouvrage de la Grande Collection présente un index général de l'ensemble.

Facile à consulter, la Grande Collection Micro-Ondes, qui offre plus de mille deux cents recettes, saura devenir un outil culinaire aussi utile et indispensable que votre four à micro-ondes.
Bonne lecture et, surtout, bon appétit !

Niveaux de puissance

Toutes les recettes de ce livre ont été testées dans un four de 700 W. Comme il existe un grand nombre de fours à micro-ondes dans le commerce, avec des niveaux de puissance différents, et que les appellations de ces niveaux varient d'un fabricant à l'autre, nous avons préféré donner des pourcentages. Pour adapter les niveaux de puissance donnés, consultez le tableau ci-contre et le livret d'utilisation afférent à votre four.

Ainsi, si vous possédez un four de 500 W ou de 600 W, vous devrez majorer les temps de cuisson mentionnés d'environ 30 %. Précisons que plus la durée de cuisson est brève, plus la majoration peut être importante en termes de pourcentage. Le chiffre de 30 % ne représente donc qu'une moyenne. Consultez le tableau ci-contre pour vous aider à ce chapitre.

Tableau d'intensité

FORT - HIGH : 100 % - 90 %	Légumes (sauf pommes de terre bouilies et carottes) Soupes Sauces Fruits Coloration de la viande hachée Plat à rôtir Maïs soufflé
MOYEN - FORT - MEDIUM HIGH : 80 % - 70 %	Décongélation rapide de mets déjà cuits Muffins Quelques gâteaux Hot dogs
MOYEN - MEDIUM : 60 % - 50 %	Cuisson des viandes tendres Gâteaux Poissons Fruits de mer Oeufs Réchauffage des aliments Pommes de terre bouillies et carottes
MOYEN - DOUX - MEDIUM LOW : 40 %	Cuisson de viandes moins tendres Mijotage Fonte du chocolat
DÉCONGÉLATION - DEFROST : 30 % DOUX - LOW : 20 % - 30 %	Décongélation Mijotage Cuisson de viandes moins tendres
MAINTIEN - WARM : 10 %	Maintien au chaud Levage de la pâte à pain

700 W	600 W*
5 s	11 s
15 s	20 s
30 s	40 s
45 s	1 min
1 min	1 min 20 s
2 min	2 min 40 s
3 min	4 min
4 min	5 min 20 s
5 min	6 min 40 s
6 min	8 min
7 min	9 min 20 s
8 min	10 min 40 s
9 min	12 min
10 min	13 min 30 s
20 min	26 min 40 s
30 min	40 min
40 min	53 min 40 s
50 min	66 min 40 s
1 h	1 h 20 min

* Il y a peu de différence entre les durées applicables aux fours de 500 watts et ceux de 600 watts.

Table de conversion

Table de conversion des principales mesures utilisées en cuisine	Mesures liquides	Mesures de poids
	1 c. à thé . . . . 5 ml	2,2 lb . . . . . . .1 kg (1 000 g)
	1 c. à soupe . . . . .15 ml	1,1 lb . . . . .500 g
		0,5 lb . . . . .225 g
	1 pinte. . .(4 tasses). . .1 litre	0,25 lb . . . . .115 g
	1 chopine .(2 tasses) .500 ml	1 oz . . . . .30 g
	1 tasse . . . . .250 ml	
	1/2 tasse . . . . .125 ml	
	1/4 de tasse . . . . .50 ml	

Équivalence métrique des températures de cuisson		
	49°C . . . . .120°F	120°C . . . . .250°F
	54°C . . . . .130°F	135°C . . . . .275°F
	60°C . . . . .140°F	150°C . . . . .300°F
	66°C . . . . .150°F	160°C . . . . .325°F
	71°C . . . . .160°F	180°C . . . . .350°F
	77°C . . . . .170°F	190°C . . . . .375°F
	82°C . . . . .180°F	200°C . . . . .400°F
	93°C . . . . .190°F	220°C . . . . .425°F
	107°C . . . . .200°F	230°C . . . . .450°F

Les lecteurs noteront que, dans les recettes, nous convertissons 250 ml en 1 tasse ou encore 450 g en 1 lb. Cela s'explique par le fait qu'en cuisine, il est peu pratique de donner des conversions arithmétiques justes. En effet, les instruments de mesure ne permettent pas d'obtenir des quantités aussi précises mais peu commodes que 454 g (1 lb), par exemple. Nous devons donc utiliser des équivalences approximatives, ce qui peut donner lieu à certaines contradictions arithmétiques. Par contre, du fait que les quantités sont toujours exprimées dans les deux systèmes de mesure (métrique et impérial), cette façon de procéder ne devrait poser aucune difficulté.

Les symboles

Légende des pictogrammes

Dans le but de faciliter la lecture des fiches signalétiques des recettes, nous avons prévu des pictogrammes indiquant le niveau de complexité et le coût.

Le symbole [pictogramme] vous rappelle d'inscrire votre temps de cuisson dans l'espace prévu à cette fin.

Complexité

préparation facile

difficulté moyenne

préparation pouvant comporter certaines difficultés

Coût par portion

$ économique

$ $ coût moyen

$ $ $ coût élevé

La volaille

À l'échelle de la planète, nulle autre viande n'est plus consommée que celle de la volaille. Dans cette catégorie, le poulet, bien sûr, remporte la palme et les hommes de tous les pays ont appris très tôt à en apprécier la chair tendre et juteuse.

En effet, tous les peuples du monde le dégustent, et les façons de l'apprêter sont aussi variées que les cultures dont elles sont issues. C'est ainsi que l'on trouve le poulet dans le couscous arabe, le *Backhuhn* autrichien, le poulet mendiant chinois, le *waterzooi* flamand, le *pollo alla diavola* florentin, le *chakhokhbili* de Géorgie, le *tandoori* indien, le *satay* malais, le *bastelah* marocain, l'*oyako donburi* japonais et dans bien d'autres plats nationaux encore.

Plus près de nous, les traditions culinaires françaises nous permettent de le savourer de mille et une manières : bouilli, braisé, rôti, frit, grillé, en pâté, en potage, en fricassée, chaud ou froid, entier ou en morceaux, avec ou sans sauce. Comme vous pouvez le constater, l'ingéniosité culinaire n'a plus de limites lorsqu'il est question du poulet.

Mais la faveur universelle dont jouit le poulet ne doit pas nous faire oublier les autres membres de la grande famille des volailles. Ses sœurs et frères sont nombreux et leur saveur peut souvent rivaliser avec celle de leur illustre parent. Parmi ceux-ci, la dinde est sûrement la mieux connue. Son origine nord-américaine lui doit son nom : les Français l'appelaient en effet *poule d'Inde* marquant de la sorte l'heureuse erreur de Christophe Colomb. Sa grosseur, sa chair juteuse et maigre ont vite fait de convaincre les chefs de famille et les responsables des grandes réceptions qu'il s'agissait là du volatile idéal pour garnir une table aux nombreux convives.

Vient ensuite le canard, dont les cuisiniers français ont fait un délice en l'apprêtant avec une sauce à l'orange. Bien que plus osseux et gras que le poulet, ce *roi des oiseaux*, pour reprendre l'expression d'Alessandro Filippini, réputé chef du célèbre restaurant américain Delmonico, a partout ses lettres de noblesse, tout particulièrement dans la cuisine chinoise. Au sens strict, un canard désigne une volaille de plus de deux mois. Plus jeune, il s'agit d'un caneton dont la chair est encore plus fine. Si vous avez la chance de pouvoir choisir le mode d'abattage, demandez que le canard soit étranglé plutôt que décapité. De la sorte, la volaille n'est pas vidée de son sang, ce qui donne une chair rouge, encore plus juteuse, avec un léger goût de gibier.

Ceux qui ont un faible pour la viande grasse sauront apprécier la chair de l'oie. Bien que rarement au menu des familles canadiennes, ce volatile offre de nombreux plaisirs au palais friand de découvertes gustatives. Mais la volaille peut aussi se faire gibier. On chasse en effet la jeune perdrix, appelée perdreau, à la quête de sa chair irriguée de sang, au délicieux goût sauvage. Il y a aussi le faisan dont la viande maigre appelle des sauces riches et odorantes. Quant aux cailles, d'une saveur plus délicate, elles sont prisées pour les présentations raffinées que permet leur petite taille.

Le découpage du poulet

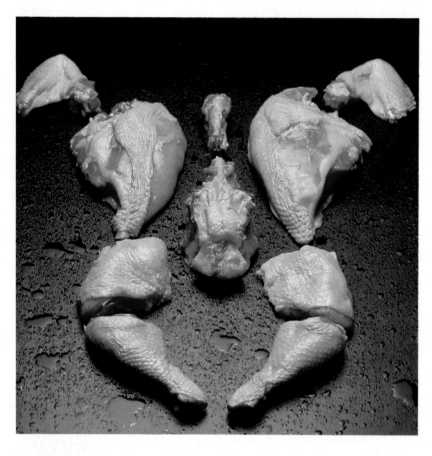

Découper soi-même une volaille peut faire réaliser des économies. De plus, la qualité des volailles entières est souvent meilleure que celle des morceaux vendus séparément. En outre, une technique de découpage bien maîtrisée fera découvrir de nouveaux plaisirs liés aux préparations culinaires.

Bien que vous puissiez vous procurer du poulet en morceaux dans les supermarchés, nous vous recommandons d'acheter des volailles entières. Leur qualité est souvent meilleure et elles sont vendues à un prix beaucoup plus avantageux. Qui plus est, si vous découpez vous-même votre volaille, vous aurez des portions plus nettes et

pourrez utiliser les abattis. Découper un poulet est une chose bien simple à la condition d'y aller méthodiquement, étape par étape. Votre outillage se limite à une planche à découper et à un couteau de qualité à lame pointue et bien aiguisée. Le reste tient de l'art.

Bien que les illustrations mettent en vedette un

poulet, les principes énoncés s'appliquent à tous les autres volatiles.

Le découpage en 10 morceaux

Toute technique impose un ordre. Dans celle que nous avons adoptée, vous prélevez d'abord les cuisses, composées du pilon et du haut-de-cuisse. Une fois ces parties bien isolées et coupées, vous enlevez les ailes pour ensuite fendre la cage thoracique, ce qui permet de séparer la poitrine du dos. Le dos donne deux morceaux si on le coupe dans le sens de la largeur. En dernier lieu, coupez la poitrine en deux dans le sens de la longueur. Vous obtenez ainsi dix morceaux, bien découpés, sans perte. Vous trouverez aux pages 12 et 13 une autre méthode de découpage qui donne des morceaux de taille équivalente, bien qu'en moins grand nombre. Une fois le poulet ainsi découpé, vous pourrez congeler les parties dont vous n'avez pas immédiatement besoin pour, ultérieurement, les décongeler en un tournemain au four à micro-ondes. Par ailleurs, cela vous permettra de vous constituer une réserve de morceaux de poulet pour mettre à l'essai les nombreuses recettes que nous vous proposons.

1. *Prélèvement des cuisses*
Couchez d'abord le poulet sur le dos. Écartez avec soin une cuisse vers l'extérieur puis tranchez-la là où elle est rattachée au corps. La jointure osseuse étant encore partiellement intacte, inclinez la cuisse vers l'extérieur pour déboîter l'os. Pour obtenir une coupe impeccable, il ne reste plus qu'à couper la jointure. Répétez les mêmes opérations pour l'autre cuisse.

2. *Séparation du pilon et du haut-de-cuisse*
Placez les cuisses de poulet, la peau en dessous, sur la planche à découper puis tranchez la jointure. Il est à noter que si les cuisses sont de petite taille, cette coupe est inutile.

3. *Retrait des ailes*
Poussez légèrement sur l'aile pour l'appuyer contre le corps de la volaille. Faites une incision entre le creux de l'articulation et la jointure. Écartez ensuite l'aile vers l'extérieur et coupez la peau à la base de l'aile.

4. *Division de la carcasse*
Introduisez la lame du couteau dans la cavité de la volaille et faites-la ressortir entre l'articulation de l'épaule et la cage thoracique. Coupez ensuite celle-ci, en ramenant le couteau vers vous et en prenant soin de garder la lame parallèle à la colonne vertébrale. Répétez l'opération pour l'autre côté.

5. *Découpage du dos*
Il est maintenant possible de séparer la poitrine du dos, de manière à dégager les os de l'épaule. Coupez ensuite entre les os. Coupez le dos dans le sens de la largeur à travers la colonne vertébrale pour le diviser en deux.

6. *Découpage de la poitrine*
Pour couper la poitrine en deux, posez-la d'abord, côté peau sur la planche. Coupez ensuite le bréchet (partie osseuse et saillante sur laquelle repose la chair de la poitrine) à gauche ou à droite de son axe. Dans le cas d'une grosse dinde ou d'une oie, coupez également dans le sens de la largeur pour obtenir quatre ou même six morceaux.

Le découpage en 5 morceaux

La méthode de découpage décrite aux pages 10 et 11 offre le double avantage d'être rapide et économique. Or, les professionnels de la cuisine et de la boucherie exploitent une autre technique pour obtenir des morceaux plus volumineux et de dimensions quasi équivalentes.

Contrairement à ce que nous avons vu précédemment, l'on ne sépare pas ici les pilons des hauts-de-cuisses. En fait, chaque cuisse est détachée en bloc, emportant avec elle le sot-l'y-laisse (voir ce mot à la page 107) que l'on a préalablement pris le soin de dégager.

Il ne reste plus alors que les ailes à sectionner de la poitrine. Éliminez, si ce n'est déjà fait, les ailerons (extrémités des ailes). Coupez ensuite les ailes proprement dites en y laissant une partie de chair blanche et du dos. Vous obtenez ainsi un morceau bien charnu et plus gros que l'aile au sens anatomique du terme. Vous passez ensuite à la poitrine qu'il suffit de séparer de la carcasse, laquelle est déjà presque dénudée de chair. Les os restants pourront ainsi être mis à profit pour le bouillon.

Pour obtenir des morceaux de volaille de taille équivalente, on dégage les ailes dont on a découpé leur partie la moins charnue, les ailerons. Les pilons et les hauts-de-cuisses demeurent solidaires : il ne reste alors que la poitrine. On obtient ainsi cinq morceaux plutôt que dix.

TRUCS

Pour réussir une croûte au four à micro-ondes

L'obtention d'une croûte feuilletée et croustillante est à la fois facile et rapide au four à micro-ondes. Rouler et abaisser la pâte comme à l'ordinaire et la répartir uniformément dans une assiette à tarte. Piquer l'abaisse avec une fourchette. Avant de mettre au four, recouvrir l'abaisse de petits pois secs afin d'empêcher que la pâte gonfle et rapetisse par endroits. Cuire environ 6 minutes à 70 %, et le tour est joué!

  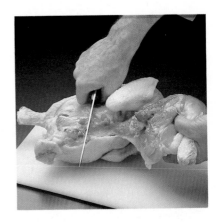

1. Découpage des cuisses

Pour attaquer les cuisses, retournez d'abord le poulet sur le dos. Introduisez la lame du couteau à l'endroit où la cuisse rejoint la carcasse et coupez à travers la peau. Tirez ensuite la cuisse vers l'extérieur pour libérer l'os de la jointure. Coupez au niveau de l'articulation, puis dégagez la cuisse en vous assurant que le sot-l'y-laisse y demeure attaché. Enfin, enlevez le bout de l'os du pilon et, afin d'éviter que la cuisse ne se déforme pendant la cuisson, faites une entaille dans le gros tendon reliant le pilon et le haut-de-cuisse.

2. Dégagement du sot-l'y-laisse

Partie charnue mal connue, le sot-l'y-laisse se trouve blotti dans un creux de chaque côté de la colonne vertébrale. Pour le dégager, servez-vous de la pointe du couteau sans pour autant le détacher de la peau qui le recouvre et le retient.

3. Dégagement des cuisses

Pour terminer le dégagement des cuisses de sa carcasse, il suffit de pratiquer une première incision le long de la colonne vertébrale et une seconde incision sur l'omoplate.

 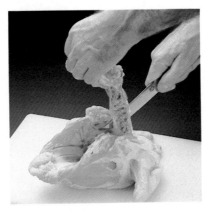 

4. Dégagement des épaules

Retournez la volaille sur la poitrine. Placez le couteau entre la colonne vertébrale et une des deux omoplates. Tranchez avec force le dos jusqu'à ce que la lame arrive à la cavité. Laissez cependant l'aile attachée à la poitrine. Faites de même de l'autre côté de la colonne.

5. Prélèvement de la carcasse

Introduisez le couteau dans la cavité de la volaille et percez un côté entre l'épaule et la cage thoracique. Tranchez ensuite cette dernière parallèlement à la colonne vertébrale. Procédez de la même manière sur l'autre côté. Le dos s'enlève facilement puisque les épaules ont déjà été libérées.

6. Enlèvement des ailes

Après avoir enlevé le dos, retournez la poitrine, côté peau au-dessus. En tranchant en diagonale de manière que l'aile contienne de la viande blanche de la poitrine, coupez au point d'attache de la clavicule et du bréchet.

Le désossement

Le désossement de la poitrine

1. Posez la poitrine sur la planche à découper, la peau sur le dessus. Placez la paume de la main sur la poitrine et appuyez fortement de manière à briser le bréchet. Cela le sépare des côtes et en facilite l'enlèvement.

2. Retournez la poitrine et retirez le bréchet de la masse charnue. Du fait qu'il est à demi disloqué, il s'enlève sans peine. Avec le couteau ou à la main, soulevez délicatement la chair pour la dégager des côtes, lesquelles se trouvent en superficie à l'intérieur.

3. Retirez le bout du cartilage. Le tout se dégage de la chair facilement. Vérifiez s'il y a de petits os résiduels et, le cas échéant, enlevez-les. Vous obtenez ainsi une belle poitrine entière, libre d'os et de cartilages.

TRUCS ◖◖◯

Préparation pour la cuisson

Voici quelques conseils pratiques qui vous aideront à réussir la cuisson des volailles. La peau étant la partie la plus grasse de la volaille, il suffit de la retirer avant la cuisson pour obtenir des plats moins gras, à teneur réduite en calories. Par ailleurs, si la volaille doit être farcie, utiliser une farce complètement refroidie et le faire juste avant la cuisson. Cela empêche la prolifération de bactéries. Pour que la présentation soit attrayante, brider la volaille avant la cuisson. De la sorte, le volatile gardera ou reprendra sa forme initiale.

Le désossement de la cuisse

1. *La technique illustrée ici permet un désossement sans aucune incision dans la chair. Cela s'avère très pratique pour farcir les cuisses sans avoir à les refermer en les ficelant. Empoignez fermement le pilon dans une main et dégagez la tête du fémur en la grattant avec le bout de la lame. Le grattage sert à détacher la fine membrane qui retient la chair à l'os. Une fois la tête bien dégagée, tirez sur le fémur pour le disjoindre du tibia.*

2. *Le fémur enlevé, grattez de la même façon le tibia et la rotule. Contrairement à ce que montre la photo, la cuisse reprendra sa forme première une fois complètement désossée.*

3. *Ces os bien mis à nu, tirez sur le tibia qui n'offrira qu'une légère résistance. Reformez la cuisse et, si vous le désirez, comblez-la de farce.*

Pour rehausser la saveur d'une dinde ou d'un poulet, il est conseillé d'aromatiser l'oiseau en le badigeonnant d'une préparation liquide. Pour ce faire, utiliser du beurre doux (non salé) afin d'éviter que la peau fendille ou durcisse. Ne pas oublier de faire cuire la volaille en la surélevant légèrement du fond du plat, au moyen d'une soucoupe renversée par exemple, de manière que le gras s'écoule dans le plat. En outre, glisser un cure-dents entre le plat et la soucoupe pour éviter qu'il y ait une succion, ce qui rendrait difficile l'enlèvement de la soucoupe.

Enfin, on peut réserver des morceaux de volaille cuite pour un repas ultérieur. Par exemple, les pilons, avec leur garniture, peuvent être congelés pendant 4 mois. Ils seront tout aussi croustillants et savoureux après avoir été décongelés au four à micro-ondes.

La congélation de la volaille

La volaille peut se conserver jusqu'à six mois au congélateur à la condition qu'elle soit bien protégée de l'air frais et sec dans un emballage approprié. À ce chapitre, les sacs à congélation pouvant être scellés hermétiquement constituent un bon investissement pour préserver vos volailles et autres viandes au congélateur.

Si vous achetez une volaille fraîche pour la congeler, retirez-la de son emballage d'origine.

Puisque la volaille est destinée à la décongélation-cuisson au four à micro-ondes, pourquoi ne pas immédiatement en protéger les parties les moins charnues en les recouvrant de papier d'aluminium (voir à la page 17). La méthode idéale consiste à placer la volaille entière ou ses morceaux, selon le cas, dans un sac hermétiquement scellé. Cela protège la viande contre l'air froid et sec et en conserve mieux la saveur.

Si vous ne possédez pas de machine à sceller, vous pouvez toujours utiliser des sacs à congélation à fermoir ou des récipients conçus à cette fin. N'oubliez pas d'apposer sur le contenant une étiquette sur laquelle sont indiqués le type d'aliment et la date de mise au congélateur.

Si par contre, vous ne désirez pas congeler le poulet, il est préférable de le faire cuire la journée même. Si la cuisson n'est prévue que pour le lendemain, sortez-le de son emballage, lavez-le à l'eau, puis après l'avoir asséché, enveloppez-le de pellicule plastique. Une dinde ou des morceaux de dinde fraîche se conservent deux jours au réfrigérateur dans l'emballage d'origine.

Bien que plusieurs cuisiniers prétendent que les volatiles surgelés ont moins de goût, il n'en demeure pas moins que le congélateur permet de conserver de manière satisfaisante la plupart des volailles, qu'elles soient entières ou en morceaux. Un oiseau frais peut se conserver environ six mois au congélateur. Il est à noter que les abattis doivent être emballés séparément et consommés dans les trois mois.

Si vous achetez de la volaille surgelée, assurez-vous que le paquet n'est pas mou et qu'il ne contient pas de glace rosâtre. Cela signifierait que l'oiseau a été accidentellement décongelé, puis recongelé.

La décongélation

1. Sortez la volaille du congélateur et posez-la, dans son emballage, la poitrine au-dessus, sur une clayette.

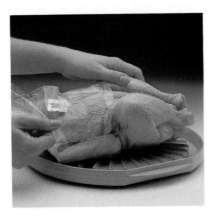

2. Enlevez l'emballage. Vérifiez si toutes les parties de la volaille sont uniformément congelées.

3. Avant de placer la volaille au four à micro-ondes, recouvrez de papier d'aluminium les parties les moins charnues (le bout des cuisses, les ailerons et le dessus de la poitrine le long de la crête du bréchet). Cela en prévient une cuisson prématurée et assure, par la suite, l'uniformité de la cuisson.

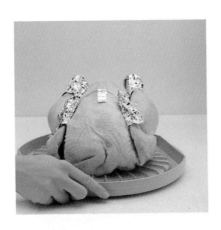

4. Divisez le temps total d'exposition aux micro-ondes en plusieurs courtes périodes entrecoupées d'un temps de repos d'une durée équivalente à environ un quart du temps de décongélation.

5. À la mi-décongélation, faites pivoter le plat d'un demi-tour en vue de favoriser une distribution égale de l'énergie des micro-ondes sur toutes les parties de la volaille.

6. Profitez de cette pause pour retourner l'oiseau sur la poitrine. Le dos est alors davantage exposé aux micro-ondes. Cela empêche également la poitrine de commencer à cuire.

7. La période d'exposition aux micro-ondes terminée, sortez la volaille du four. Retirez les abattis et laissez reposer. Le temps de repos est nécessaire pour assurer une décongélation à la fois uniforme et complète.

La décongélation des cuisses

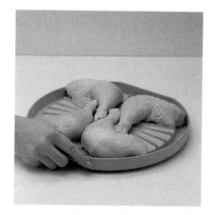

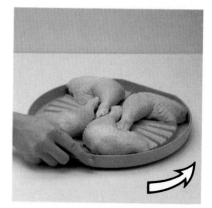

1. *Il arrive souvent que les cuisses surgelées vendues sur le marché sont emballées en bloc. Il est donc impossible de les séparer avant la décongélation. Dans ce cas, placez-les sur une plaque à bacon et faites-les décongeler 6 à 8 minutes. Après ce temps, vérifiez le degré de décongélation toutes les 2 minutes en essayant de séparer les cuisses.*

2. *Disposez les cuisses en cercle en prenant soin de placer les parties charnues vers l'extérieur.*

3. *Divisez le temps d'exposition aux micro-ondes en périodes égales entrecoupées de périodes de repos d'une durée équivalente à un quart du temps total de décongélation.*

4. *À la mi-décongélation, faites pivoter le plat d'un demi-tour de manière à assurer une décongélation uniforme. Après la période de décongélation prévue, sortez les cuisses du four, laissez-les reposer environ 10 minutes et rincez-les à l'eau froide avant de commencer la cuisson.*

TRUCS

Pour décongeler les poitrines

Pour assurer une décongélation uniforme des poitrines de poulet, les placer sur une plaque à bacon en prenant soin de les répartir à égale distance l'une de l'autre. Programmer le temps de décongélation en prenant soin de le diviser en périodes égales d'exposition aux micro-ondes entrecoupées de périodes de repos. À la mi-décongélation, tourner chacune des poitrines de façon que la partie qui se trouvait vers l'extérieur du plat se retrouve vers le centre. À la fin de la période d'exposition aux micro-ondes, les sortir du four et laisser reposer environ 10 minutes.

Décongélation de la volaille
Intensité : 30 %

Type de morceaux	Quantité	Durée	Temps de repos*
Poulet entier		10 à 12 min/kg (4 à 6 min/lb)	10 à 20 min
Dinde entière		12 à 16 min/kg (6 à 8 min/lb)	30 à 60 min dans l'eau froide
Quartiers	4 de 225 g (8 oz)	15 min	10 min
Ailes	900 g (2 lb) 450 g (1 lb)	15 min 8 min	10 min 10 min
Pilons	6 de 115 g (4 oz)	12 min	10 min
Poitrines désossées	4 de 225 g (8 oz) 2 de 225 g (8 oz)	15 min 8 min	10 min 10 min
Cuisses	8 de 115 g (4 oz) 4 de 115 g (4 oz)	15 min 8 min	10 min 10 min

* L'exposition aux micro-ondes doit être entrecoupée de périodes de repos équivalentes à un quart du temps total de décongélation. Ainsi, dans le cas de la volaille, il y aura quatre périodes d'exposition aux micro-ondes et quatre périodes de repos en alternance.

TRUCS

Décongélation d'une volaille entière
La technique de décongélation expliquée à la page 17 s'applique à toutes les volailles. Soulignons que plus d'un soutiennent qu'il est préférable de décongeler la volaille selon la méthode traditionnelle, c'est-à-dire au réfrigérateur. Or, comme cela peut prendre jusqu'à quatre heures par kilogramme dans le cas d'une dinde, il nous semble plus pratique d'accélérer le processus au moyen du four à micro-ondes. Il n'y a rien à craindre : vos convives s'en délecteront tout autant. Utiliser toujours la plaque à bacon (ou clayette) pour empêcher que la volaille baigne dans son jus, lequel absorbe davantage les micro-ondes (les liquides réchauffés pourraient provoquer la cuisson des parties de la volaille avec lesquelles ils entrent en contact).

Dans le cas d'un poulet entier, allouer de 10 à 12 minutes par kilogramme (4 à 6 minutes par livre) à une intensité de 30 % (intensité standard de décongélation). Quant à des pilons de 115 g (4 oz) chacun, ils décongèleront en 12 minutes ou moins. Consulter le tableau de cette page pour le temps de décongélation des autres morceaux de volaille.

La cuisson des volailles

 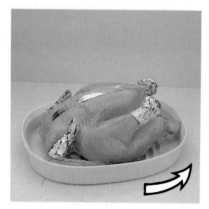 

1. Afin d'assurer une cuisson uniforme et, par la même occasion, de prévenir la surcuisson des parties les moins charnues de la volaille, recouvrez les ailerons, le bout des cuisses et la crête du bréchet de papier d'aluminium.

2. À la mi-cuisson, faites pivoter le plat d'un demi-tour, à moins que votre four ne soit muni d'un plateau rotatif. Cette rotation du plat est nécessaire à cause de la distribution souvent inégale des micro-ondes dans le four.

3. Aux trois quarts du temps de cuisson, retournez la volaille, la poitrine contre le plat. À la fin du temps de cuisson indiqué dans la recette, piquez le haut-de-cuisse avec une fourchette. Si le jus qui s'en écoule est clair et que la chair a tendance à se détacher, la volaille est cuite. Laissez reposer environ 10 minutes pour assurer une répartition uniforme de la chaleur interne.

Sauces et assaisonnements pouvant être utlisés pour brunir la volaille

Ingrédients	Instructions
Sauce soja ou sauce Teriyaki	Badigeonner
Sauce barbecue	Verser au moment de servir
Beurre fondu et paprika	Badigeonner de beurre et saupoudrer de paprika
Sauces brunes et sucrées avec beurre fondu	Badigeonner
Miel, confitures et gelées	Glacer avant la cuisson, ou à la mi-cuisson

Disposition des aliments

Comme vous pouvez le constater, la disposition des morceaux de volaille pour la cuisson est identique à celle prescrite pour la décongélation. On doit toujours placer les parties charnues vers l'extérieur. En effet, la répartition des micro-ondes dans le four est telle que le centre de la cavité reçoit moins d'énergie. Voilà ce qui explique également pourquoi il est nécessaire de modifier la position d'une volaille entière à la mi-cuisson.

Le poulet et le sac à cuisson

1. Pour faire bouillir un poulet entier (ou des morceaux) utilisez un sac à cuisson. En premier lieu, lavez et asséchez le poulet.

2. Placez le poulet dans le sac et ajoutez 1 tasse de liquide. Fermez lâchement le sac au moyen d'une

attache en plastique ou percez-y quelques trous de manière à laisser s'échapper la vapeur.

3. Placez le poulet, poitrine en dessous, dans un plat allant au four à micro-ondes. Calculez un temps de cuisson de 15 à

20 minutes par kilogramme (7 à 9 min par livre). Faites cuire environ 5 minutes à 100 % puis réduisez l'intensité de cuisson à 70 %. Retournez le poulet sur le dos à mi-cuisson. La cuisson terminée, laissez reposer de 5 à 10 minutes avant de servir.

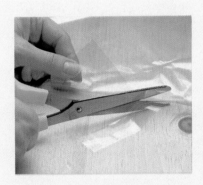

Le sac à cuisson

1. Ne jamais utiliser d'attache métallique pour refermer un sac à cuisson allant au four à micro-ondes. Cela pourrait provoquer un arc électrique et endommager sérieusement votre four. Il existe sur le marché des attaches en plastique convenant parfaitement à la cuisson aux micro-ondes.

2. Faute d'attaches en plastique, découper une lisière du sac et l'utiliser pour le refermer. Pour ceux qui font un usage fréquent de sacs à cuisson, préparer une réserve de fermoirs.

3. Pour que le sac ne soit pas fermé trop hermétiquement, ce qui y emprisonnerait la vapeur, insérer le manche d'une cuillère de bois dans l'ouverture, enrouler l'attache, puis retirer la cuillère.

Cuisson de la volaille

Volaille ou morceaux	Quantité	Durée	Temps de repos
Poulet entier		22 min/kg (10 min/lb) à 70 %	10 min (recouvert de papier d'aluminium)
Quartiers		22 min/kg (10 min/lb) à 70 %	5 min
Ailes	1 kg (2,2 lb) 450 g (1 lb)	15 à 18 min 8 min à 90 %	5 min 5 min
Pilons	4 de 115 g (4 oz)	8 à 10 min à 70 %	2 min
Dinde entière		31 min/kg (13 min/lb) à 70 %	20 min (recouvert de papier d'aluminium)
Poulet de Cournouailles	2	20 à 22 min/kg (9 ou 10 min/lb) à 70 %	10 min
Canardeau		26 min/kg (12 min/lb) à 70 %	10 min (recouvert de papier d'aluminium)

Comparativement à la cuisson avec une cuisinière traditionnelle la cuisson au four à micro-ondes exige généralement moins de corps gras (beurre ou huile) pour la préparation des recettes, ce qui réduit de façon significative le nombre de calories par portion.

TRUCS

Pour réussir la cuisson d'un poulet entier
Laver et bien assécher le poulet avant la cuisson. Pour obtenir une peau dorée, cuire le poulet dans un plat non couvert ou recouvert de papier ciré. On peut aussi faire rôtir le poulet au four micro-ondes dans un plat approprié, ou le faire rôtir au four traditionnel après la cuisson. Pour que le poulet cuise uniformément, le tourner de temps à autre durant la cuisson.
Vérifier la cuisson en piquant la chair de la cuisse et en s'assurant que le jus qui s'en écoule est clair, et que la cuisse se détache facilement du corps.

Pour une volaille moins grasse
La cuisson aux micro-ondes produisant plus de gras que la cuisson au four traditionnel, il n'est pas anormal qu'une grande quantité de gras s'écoule du poulet pendant la cuisson. Il suffit de le retirer du plat avant d'incorporer la sauce qui accompagnera le poulet. On peut aussi utiliser une partie du jus de cuisson pour la préparation de la sauce. Pendant la cuisson, il est recommandé de disposer le poulet sur une assiette renversée, afin qu'il ne baigne pas dans son jus de cuisson et dans le gras qui s'en écoulera.

Glaces et sauces pour la dinde

Au paprika

125 ml (1/2 tasse)
de concentré
de poulet
50 ml (1/4 tasse)
de beurre fondu
paprika

Préparation

— Mélanger le concentré de
poulet et le beurre
fondu; badigeonner la
dinde.
— Saupoudrer la volaille de
paprika.

Au soja

10 ml (2 c. à thé) de fécule
de maïs
50 ml (1/4 tasse) de
sauce soja
150 ml (2/3 tasse) d'eau

Préparation

— Délayer la fécule de maïs
dans l'eau et ajouter la
sauce soja.
— Cuire à 100 % jusqu'à ce
que la sauce devienne
épaisse, en brassant
toutes les minutes.
— Badigeonner la dinde.

Au tapioca

225 ml (7 3/4 oz)
de pouding de tapioca,
disponible sur le
marché
45 ml (3 c. à soupe)
de sirop de maïs
10 ml (2 c. à thé)
de jus de citron
2 ml (1/2 c. à thé)
de cannelle
zeste de citron

Préparation

— Mélanger tous les
ingrédients et
badigeonner la dinde.

Dinde rôtie

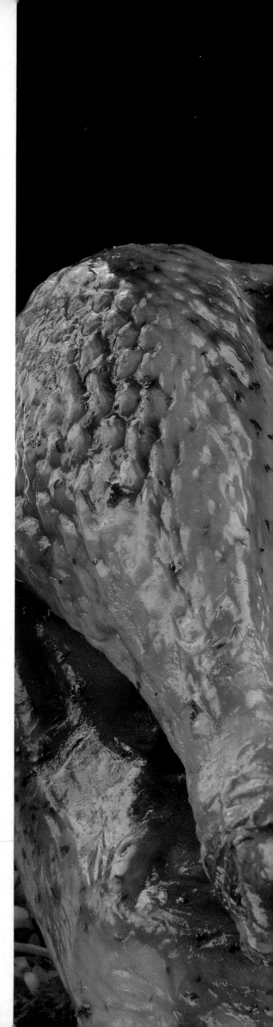

Complexité	🍴
Temps de préparation	10 min
Coût par portion	$ $
Nombre de portions	20 de 4 oz
Valeur nutritive	363 calories 34,7 g de protéines 2,9 mg de fer
Équivalences	4 oz de viande 1 portion de gras
Temps de cuisson	31 min/kg (13 min/lb)
Temps de repos	20 min
Intensité	70 %
Inscrivez ici votre temps de cuisson	

Ingrédients
1 dinde de 5 kg (11 lb)
125 ml (1/2 tasse) de
bouillon de poulet (Bovril)
50 ml (1/4 tasse)
de beurre

Préparation
— Mélanger le bouillon de
  poulet et le beurre pour
  obtenir la glace.
— Préparer la dinde et la
  badigeonner de glace;
  assaisonner au goût.
  goût.
— Déposer la dinde dans
  un sac à cuisson et
  placer le tout dans un
  plat allant au four à
  micro-ondes.
— Cuire à 70 % environ
  31 min/kg (13 min/lb), en
  retournant la dinde
  sur elle-même 1 fois au
  2/3 de la cuisson. Laisser
  reposer 20 minutes avant
  de servir.

Dinde braisée jardinière

Complexité	🍴
Temps de préparation	30 min
Coût par portion	$
Nombre de portions	4
Valeur nutritive	222 calories 39,5 g de protéines 2,1 mg de fer
Équivalences	3 oz de viande 1/2 portion de légumes 1 portion de gras
Temps de cuisson	12 min
Temps de repos	5 min
Intensité	70 %
Inscrivez ici votre temps de cuisson	

Ingrédients
900 g (2 lb) de poitrine de dinde
1 grosse tomate hachée en morceaux
1 gros oignon tranché
1 gros poivron vert ciselé en lanières
75 ml (1/3 tasse) de bouillon de poulet chaud
2 ml (1/2 c. à thé) de vinaigre de vin rouge

Préparation
— Désosser la dinde et en retirer la peau; escaloper les poitrines.
— Mélanger les légumes et les déposer dans un plat; disposer les morceaux de dinde sur les légumes.
— Mélanger les autres ingrédients et verser sur les morceaux de dinde et les légumes.
— Cuire 5 minutes à 70 %. Faire pivoter le plat d'un demi-tour et poursuivre la cuisson 7 minutes, ou jusqu'à ce que la dinde soit cuite.
— Couvrir et laisser reposer 5 minutes.

Rassembler les ingrédients nécessaires à la préparation de la recette: dinde désossée, légumes, bouillon de poulet et vinaigre de vin.

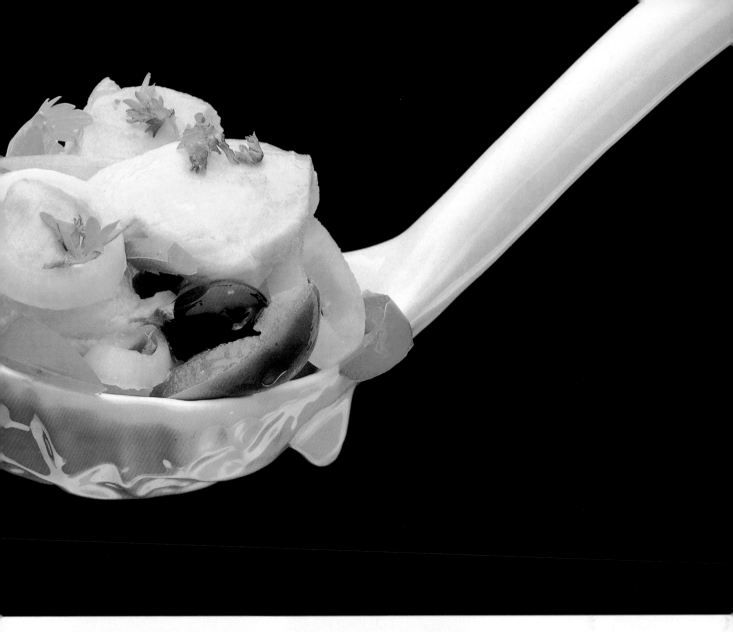

Mélanger tous les légumes et les déposer dans un plat allant au four à micro-ondes.

Avant d'entamer la cuisson, déposer les morceaux de dinde désossée au-dessus des légumes.

TRUCS

Le réchauffage

Réchauffer les aliments constitue l'une des applications les plus pratiques du four à micro-ondes. Il est toutefois important de savoir que les aliments doivent être remués fréquemment pendant le réchauffage, pour permettre à l'énergie micro-ondes de se répartir uniformément.

Escalopes de dinde

Complexité	🍴
Temps de préparation	20 min
Coût par portion	$ $
Nombre de portions	4
Valeur nutritive	182 calories 26,5 g de protéines 2,1 mg de fer
Équivalences	3 oz de viande
Temps de cuisson	de 4 à 6 min
Temps de repos	5 min
Intensité	70 %
Inscrivez ici votre temps de cuisson	✏️🍎

Ingrédients
340 g (12 oz) d'escalopes de dinde de 6 mm (1/4 po) d'épaisseur

Chapelure
125 ml (1/2 tasse) de céréales Corn Flakes émiettées
5 ml (1 c. à thé) de persil séché
2 ml (1/2 c. à thé) de poivre au citron
10 ml (2 c. à thé) de noix de Grenoble hachées
1 jaune d'œuf battu

Préparation
— Sur une feuille de papier ciré, préparer la chapelure en mélangeant les Corn Flakes, le persil, le poivre et les noix.
— Passer les escalopes dans le jaune d'œuf battu puis dans la chapelure.
— Disposer les escalopes dans un plat et cuire 2 minutes à 70 %.
— Retourner les escalopes et poursuivre la cuisson à 70 % 2 minutes, ou jusqu'à ce qu'elles soient cuites. Laisser reposer 5 minutes avant de servir.
— Si désiré, garnir avec des asperges.

Rassembler les ingrédients nécessaires. L'épaisseur des escalopes doit être de 6 mm (1/4 po).

TRUCS

Pour réduire une recette
Pour ne préparer que la
moitié d'une recette,
réduire de moitié la
quantité de chaque
ingrédient. Pour convertir
une recette de 4 portions
en une seule, diviser la
quantité d'ingrédients
par 4.

Utiliser un plat de cuisson
dont le volume est
proportionnellement plus
petit. Règle à respecter :
les aliments doivent être
placés à la même hauteur
dans le four que pour la
recette originale.

Pour une demi-recette,
réduire le temps de
cuisson initial d'environ
un tiers. Pour préparer le
quart d'une recette, cuire
un tiers du temps indiqué.
Vérifier souvent le degré
de cuisson.

Respecter l'ordre de
préparation et manipuler
les aliments pendant la
cuisson comme le prescrit
la recette originale.

Porter une attention
particulière aux détails qui
influent sur la cuisson
tels que la température
initiale des aliments. Les
aliments à forte teneur en
gras ou en sucre auront
tendance à cuire très
rapidement.

Diminuer le temps de
repos de quelques minutes
par rapport à la recette
originale.

Les panures

Pour donner aux morceaux de volaille plus de croustillant et une belle apparence dorée, rien ne saurait mieux convenir qu'une belle panure. Que vous choisissiez une chapelure toute préparée ou une recette de votre cru, vous êtes toujours assuré de mettre l'eau à la bouche de tous vos convives. En outre, cela vous permet de varier le goût de la volaille sans pour autant modifier le mode de cuisson. Autre avantage, la panure empêche la partie maigre de trop cuire et de se dessécher.

Votre chapelure peut être à base de craquelins salés, de céréales, de pain rassi, de biscuits Graham, etc. En fait, seules votre imagination et vos préférences culinaires limitent votre choix. Vous pouvez également ajouter à votre chapelure des graines de sésame ou de pavot, des fines herbes et autres ingrédients pour relever le goût de votre préparation. Si vous vous souciez de la teneur en gras des aliments, vous pouvez enlever la peau de la volaille avant de l'enrober de panure. La peau étant la partie la plus grasse, vous réduisez ainsi la quantité de calories consommée.

Pour un repas ou un goûter vite préparé et sain, servez les morceaux de poulet pané avec une salade ou du brocoli cuit ou cru.

TRUCS

Pour une décongélation réussie
Traditionnellement, on décongelait la dinde au réfrigérateur pendant une journée ou deux selon son poids. Cela impliquait une certaine planification des repas dont plusieurs d'entre nous ont perdu l'habitude. Or, le four à micro-ondes permet de décongeler une dinde entière en quelques heures seulement. Cependant il faut veiller à ce qu'aucune partie de la volaille ne commence à cuire avant que les autres ne soient décongelées. De plus, allouer une période de repos d'environ une heure avant d'entamer la cuisson.

La volaille doit être complètement décongelée. Bien laver la dinde et l'essuyer avec du papier essuie-tout avant la cuisson.

Laisser un espace minimal de 5 cm (2 po) entre la dinde et les parois du four.

Glacer la dinde pour rehausser son apparence et pour préserver la tendreté de sa chair.

Servir la dinde avec une farce.

Ragoût de dinde

Complexité	🍴
Temps de préparation	30 min
Coût par portion	$ $
Nombre de portions	4
Valeur nutritive	375 calories 39,3 g de protéines 2,8 mg de fer
Équivalences	4 oz de viande 1/2 portion de pain 1 portion de légumes 1 portion de gras
Temps de cuisson	40 min
Temps de repos	10 min
Intensité	100 %, 70 %, 50 %
Inscrivez ici votre temps de cuisson	

Ingrédients
450 g (1 lb) de cubes de poitrine de dinde
30 ml (2 c. à soupe) de beurre
2 oignons coupés en dés
2 branches de céleri coupées en bâtonnets
2 carottes coupées en bâtonnets
45 ml (3 c. à soupe) de farine
1 ml (1/4 c. à thé) de marjolaine
quelques gouttes de sauce Tabasco
sel et poivre
500 ml (2 tasses) de bouillon de poulet chaud
1 gros poivron vert coupé en dés
2 pommes de terre coupées en dés

Préparation
— Fondre le beurre 45 secondes à 100 %, ajouter les oignons, les carottes ainsi que le céleri, et cuire 3 minutes à 100 %.
— Incorporer les cubes de dinde et cuire à 70 % 7 minutes, ou jusqu'à ce qu'ils aient perdu leur coloration rosée.
— Ajouter la farine et bien remuer; assaisonner au goût.
— Ajouter le bouillon, remuer et ajouter le poivron ainsi que les pommes de terre; porter à ébullition en cuisant 8 minutes à 100 %.
— Laisser mijoter à 50 % 25 minutes.

Rassembler les ingrédients nécessaires à la préparation de la recette. La poitrine de dinde doit être coupée en cubes.

TRUCS

Pour une cuisson uniforme des légumes

Le temps de cuisson des légumes peut varier selon leur forme et leur densité. Pour faire cuire ensemble une variété de légumes, couper les légumes à cuisson lente en morceaux plus petits, de dimensions égales et les placer sur le pourtour du plat. Mettre les légumes dont le temps de cuisson est plus court au centre du plat. Quant aux morceaux plus gros, s'il y a lieu, les éloigner du centre, ce qui favorise une répartition plus uniforme de l'énergie micro-ondes. Calculer le temps de cuisson en fonction des légumes cuisant le plus rapidement. Tourner le plat à la mi-cuisson. Le temps de cuisson écoulé, vérifier le degré de cuisson de chaque type de légume et, au besoin, poursuivre la cuisson.

Dinde désossée aux fines herbes

Complexité	🍴
Temps de préparation	10 min
Coût par portion	$ $
Nombre de portions	5
Valeur nutritive	380 calories 46,5 g de protéines 2,4 mg de fer
Équivalences	5 oz de viande 1 portion de gras
Temps de cuisson	19 min/kg (8 min/lb)
Temps de repos	10 min
Intensité	70 %
Inscrivez ici votre temps de cuisson	

Ingrédients
1 rôti de dinde désossé
roulé de 675 g (1 1/2 lb)
1 ou 2 gousses d'ail
50 ml (1/4 tasse) de
beurre fondu
5 ml (1 c. à thé) de romarin
5 ml (1 c. à thé)
de marjolaine
15 ml (1 c. à soupe)
de persil
poivre

Préparation
— Piquer le rôti de dinde
avec la ou les gousses
d'ail.
— Préparer la glace en
mélangeant le beurre, le
romarin, la marjolaine,
le persil et le poivre.
— Déposer le rôti dans un
sac à cuisson et y verser
la glace; refermer le sac
en prenant soin de
laisser une petite
ouverture pour que la
vapeur s'échappe et
placer le sac contenant le
rôti dans un plat.
— Cuire à 70 %
19 minutes/kg
(8 minutes/lb).
— Sans découvrir, laisser
reposer 10 minutes avant
de servir.

Un rôti de dinde désossé et roulé, de l'ail, du beurre, des épices et du persil sont les ingrédients à rassembler pour cette recette.

Après avoir déposé le rôti dans un sac à cuisson, verser la glace préparée avec le beurre, les épices et le persil. Mettre dans un plat.

Répartir la glace et refermer le sac en laissant une petite ouverture pour que la vapeur puisse s'échapper.

À la mi-cuisson, retourner le sac contenant le rôti sur lui-même. Poursuivre la cuisson et laisser reposer avant de servir.

Croquettes de dinde au bacon

Complexité	🍴🍴
Temps de préparation	40 min
Coût par portion	$
Nombre de portions	4
Valeur nutritive	409 calories 40,7 g de protéines 2,8 mg de fer
Équivalences	4 oz de viande 1/2 portion de pain 1 1/2 portion de gras
Temps de cuisson	15 min
Temps de repos	2 min
Intensité	100 %, 70 %
Inscrivez ici votre temps de cuisson	

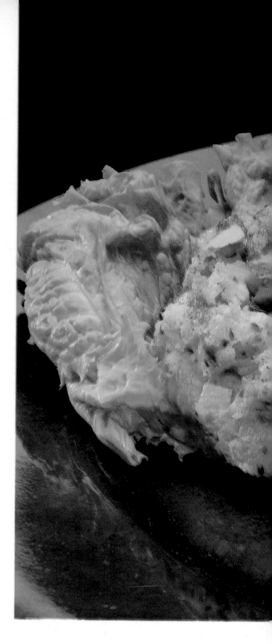

Croquettes
450 g (1 lb) de dinde cuite hachée
2 œufs
45 ml (3 c. à soupe) de chapelure italienne
45 ml (3 c. à soupe) d'oignon finement haché
2 ml (1/2 c. à thé) de sel
1 ml (1/4 c. à thé) de sauge
0,5 ml (1/8 c. à thé) de poivre
paprika

Farce
10 ml (2 c. à thé) de beurre
50 ml (1/4 de tasse) de champignons frais hachés
50 ml (1/4 de tasse) de zucchini finement haché
45 ml (3 c. à soupe) de chapelure italienne

sel et poivre
4 tranches de bacon

Préparation
— Mélanger tous les ingrédients des croquettes, sauf le paprika.
— Former 4 croquettes de 2,5 cm (1 po) d'épaisseur et faire une cavité au centre.
Laisser de côté.
— Fondre le beurre 30 secondes, à 100 %, ajouter les légumes et cuire de 3 à 4 minutes à 100 %.
Ajouter les ingrédients de la farce sauf le bacon et bien mélanger. Farcir les croquettes.
— Cuire les tranches de bacon 2 1/2 minutes à 100 %.
— Recouvrir chaque croquette d'une tranche de bacon, en repliant les extrémités sous les croquettes.
— Déposer dans une clayette et cuire 4 minutes à 70 % ; faire pivoter la clayette d'un demi-tour et poursuivre la cuisson à 70 % 4 minutes.
— Saupoudrer de paprika et laisser reposer 2 minutes avant de servir.

Rassembler tous les ingrédients nécessaires à la préparation des croquettes et de la garniture.

Pratiquer une cavité au centre de chaque croquette et farcir avec la garniture.

Placer une tranche de bacon sur chaque croquette, en repliant les extrémités en dessous.

Roulé de dinde aux épinards et aux oignons verts

Complexité	
Temps de préparation	30 min
Coût par portion	$ $ $
Nombre de portions	4
Valeur nutritive	340 calories 42,8 g de protéines 4,2 mg de fer
Équivalences	4 oz de viande 1 portion de légumes 1 portion de gras
Temps de cuisson	15 min
Temps de repos	aucun
Intensité	70 %
Inscrivez ici votre temps de cuisson	

Ingrédients

4 escalopes de dinde
de 125 g (4 oz)
15 ml (1 c. à soupe)
de beurre
30 ml (2 c. à soupe)
d'oignon vert haché
finement
1 ml (1/4 c. à thé)
de poudre d'ail
1 ml (1/4 c. à thé)
de thym séché
1 paquet de 284 g (10 oz)
d'épinards hachés congelés
125 ml (1/2 tasse)
de fromage suisse râpé

Chapelure
125 ml (1/2 tasse)
de céréales Corn Flakes
émiettées
15 ml (1 c. à soupe)
de persil

5 ml (1 c. à thé) de paprika
30 ml (2 c. à soupe)
de beurre

Préparation

— Placer les escalopes entre
  deux feuilles de papier
  ciré, et les marteler pour
  obtenir des escalopes de
  3 mm (1/8 po)
  d'épaisseur.
— Dans une casserole de
  500 ml (2 tasses),
  mélanger le beurre,
  l'oignon vert, la poudre
  d'ail et le thym. Couvrir
  et cuire à 70 % de 1 1/2
  à 2 1/2 minutes, ou
  jusqu'à ce que l'oignon
  vert soit tendre.
— Déposer les épinards
  dans un plat et cuire de

Marteler chaque escalope pour les réduire à 3 mm (1/8 po) d'épaisseur.

Cuire les épinards séparément et les égoutter soigneusement dans un tamis; jeter le jus.

Ajouter les oignons verts et le fromage aux épinards. Bien mélanger pour obtenir une préparation uniforme.

Verser un quart du mélange obtenu sur chaque escalope, les rouler et les attacher avec un cure-dents.

Rouler les escalopes farcies dans le beurre et les passer dans la chapelure.

Aligner les escalopes farcies et enduites de chapelure dans un plat, en orientant la partie retenue par un cure-dents vers le bas.

4 à 5 minutes à 70 %; égoutter, ajouter l'oignon vert et le fromage, et bien mélanger.
— Verser un quart du mélange sur chaque escalope, rouler et attacher avec un cure-dents.

— Mélanger tous les ingrédients de la chapelure.
— Rouler les escalopes farcies dans le beurre et les enduire de chapelure.
— Déposer les escalopes dans un plat, en plaçant

les parties ouvertes vers le bas.
— Cuire 4 minutes à 70 %; Faire pivoter la clayette d'un demi-tour et poursuivre la cuisson à 70 % 4 minutes, ou jusqu'à ce que les escalopes soient cuites.

Tomates farcies à la dinde

Ingrédients

8 grosses tomates
450 g (1 lb) de dinde cuite
coupée en morceaux

4 branches de céleri
émincées
125 ml (1/2 tasse) de noix
de Grenoble hachées

125 ml (1/2 tasse) de
mayonnaise
30 ml (2 c. à soupe) de jus
de citron
30 ml (2 c. à soupe) de
persil
45 ml (3 c. à soupe)
d'oignon vert haché
finement
30 ml (2 c. à soupe)
de beurre
15 ml (1 c. à soupe)
de farine
2 ml (1/2 c. à thé)
de moutarde sèche
175 ml (3/4 tasse)
de crème à 15 %
sel et poivre

Complexité	
Temps de préparation	30 min
Coût par portion	$
Nombre de portions	8
Valeur nutritive	381,6 calories 22,1 g de protéines 2,4 mg de fer
Équivalences	2 1/2 oz de viande 2 portions de légumes 3 portions de gras
Temps de cuisson	3 min
Temps de repos	aucun
Intensité	100 %
Inscrivez ici votre temps de cuisson	

Préparation

— Préparer les tomates
selon l'une ou l'autre
des façons expliquées à
la page 42. $\Rightarrow$

La première technique est la plus simple des deux. Aussi, est-elle recommandée à ceux et à celles qui craignent de ne pas obtenir des résultats parfaits en adoptant la seconde.

À l'aide d'un couteau bien aiguisé, enlever une tranche mince sur le dessus de chaque tomate.

Pratiquer 8 incisions verticales sur le côté, en prenant soin de ne pas couper le bas de la tomate. Évider.

Pour une présentation plus décorative, la seconde méthode est idéale bien qu'elle demande plus d'adresse.

À l'aide d'un couteau bien aiguisé, tailler le dessus de chaque tomate en pointes de façon symétrique.

Retirer la partie taillée et la conserver pour rehausser la décoration du plat. Évider la tomate.

— Conserver temporairement au réfrigérateur.
— Mélanger la dinde, le céleri, les noix de Grenoble, la mayonnaise, le jus de citron, le persil et l'oignon vert; saler et poivrer.

— Fondre le beurre, ajouter la farine et la moutarde en remuant; ajouter la crème.
— Cuire à 100 % 3 minutes, ou jusqu'à ce que le mélange devienne épais, en brassant toutes les minutes.

— Incorporer au mélange de dinde, farcir les tomates et servir.

Dinde au paprika

Ingrédients

450g (1 lb) de dinde cuite, coupée en dés
3 oignons verts hachés
1 poivron vert coupé en cubes
1 poivron rouge coupé en cubes
115 g (4 oz) de champignons tranchés minces
60 ml (4 c. à soupe) de beurre
30 ml (2 c. à soupe) de farine
15 ml (1 c. à soupe) de bouillon de poulet en poudre
50 ml (1/4 tasse) de lait
15 ml (1 c. à soupe) de paprika

Complexité	🍴
Temps de préparation	15 min
Coût par portion	**$**
Nombre de portions	4
Valeur nutritive	339 calories 40,3 g de protéines 1,8 mg de fer
Équivalences	4 oz de viande 1/4 portion de lait 1 portion de gras
Temps de cuisson	13 min
Temps de repos	aucun
Intensité	100 %, 70 %
Inscrivez ici votre temps de cuisson	

Préparation

— Mélanger la dinde et les légumes, et cuire de 3 à 5 minutes à 100 %; réserver.
— Fondre le beurre 40 secondes à 100 %, puis ajouter la farine, le bouillon de poulet en poudre et le lait.
— Mélanger et cuire de 4 à 5 minutes à 100 %, en brassant toutes les 2 minutes.
— Ajouter le paprika, incorporer la dinde et les légumes, et réchauffer 3 minutes à 70 %.
— Servir sur des timbales.

Canardeau à l'orange

Complexité	
Temps de préparation	20 min
Coût par portion	$ $ $
Nombre de portions	4
Valeur nutritive	478 calories 49,7 g de protéines 3,4 mg de fer
Équivalences	5 oz de viande 1/2 portion de pain 1/2 portion de fruits 1/2 portion de gras
Temps de cuisson	29 min/kg (12 min/lb)
Temps de repos	10 min
Intensité	100 %, 70 %
Inscrivez ici votre temps de cuisson	

Ingrédients
1 canardeau de 2 kg (4 à 5 lb)
1 oignon coupé
en 8 morceaux
sel et poivre

Sauce
1 grosse orange
10 ml (2 c. à thé)
de fécule de maïs
150 ml (5/8 tasse)
de jus d'orange frais
50 ml (1/4 tasse) de xérès
45 ml (3 c. à supe)
de vinaigre de vin
15 ml (1 c. à soupe)
de sucre granulé très fin
150 ml (5/8 tasse)
de bouillon de poulet
ou de canard
sel et poivre

Préparation
— Peler l'orange et ciseler le zeste en fines lanières. Couper l'orange en deux et en extraire le jus.
— Délayer la fécule de maïs dans ce jus, puis ajouter le zeste, le jus d'orange, le xérès, le vinaigre de vin et le sucre.
— Chauffer sans couvrir à 100 % de 3 à 4 minutes ou jusqu'à ce que la sauce prenne consistance, en remuant 2 fois.
— Ajouter le bouillon et rectifier l'assaisonnement au besoin. Réserver.
— Mettre les morceaux d'oignon dans la cavité de l'oiseau, piquer la peau du canard et le placer sur une clayette, poitrine au-dessous.
— Cuire à 70 % la moitié du temps requis, tourner le plat et retourner le canard sur lui-même.
— Badigeonner de la sauce et poursuivre la cuisson. Laisser reposer 10 minutes.

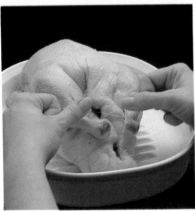

Avant la cuisson, refermer le canard en prenant soin de fixer la peau du cou au moyen d'un cure-dents.

TRUCS

Décongélation des morceaux de canard

Pour décongeler des morceaux de canard, procéder de la manière suivante : les placer dans le four et les chauffer à 30 %, à raison de 15 minutes par morceau de 225 g (1/2 lb), et entrecouper de périodes de repos de durée équivalente. Laisser reposer 15 minutes avant d'entamer la cuisson.

La cuisson du canard

La peau du canard étant relativement grasse, elle prend vite une belle apparence dorée même au four à micro-ondes. Il n'est donc pas nécessaire de la faire griller au préalable dans un four traditionnel.

Inciser la peau du canard avant la cuisson pour que le gras puisse s'en écouler. Vérifier la cuisson du canard en piquant la chair de la cuisse, à proximité de la poitrine.

Cailles aux raisins verts

Complexité	
Temps de préparation	15 min
Coût par portion	$ $ $
Nombre de portions	4
Valeur nutritive	252 calories 28,7 g de protéines 4,5 mg de fer
Équivalences	3 oz de viande 1 portion de gras
Temps de cuisson	10 min
Temps de repos	3 min
Intensité	70 %, 100 %
Inscrivez ici votre temps de cuisson	

Ingrédients
8 cailles
50 ml (1/4 tasse) de jus
de citron

Sauce
15 ml (1 c. à soupe)
de beurre
15 ml (1 c. à soupe)
de farine
50 ml (1/4 tasse) de lait
45 ml (3 c. à soupe)
de vin blanc
125 ml (1/2 tasse)
de bouillon de poulet
5 ml (1 c. à thé)
de zeste de citron
125 ml (1/2 tasse) de raisins
verts coupés en deux

Préparation
— Badigeonner les cailles
  de jus de citron, les
  trousser et les déposer
  dans une clayette, en
  orientant les cuisses vers
  le centre du four.
— Cuire à 70 % 5 minutes,
  ou jusqu'à ce que la
  volaille soit cuite.
  Couvrir et laisser reposer
  3 minutes.
— Préparer la sauce en
  faisant fondre le beurre,
  puis en ajoutant la
  farine, le lait, le vin, le
  bouillon de poulet et le
  zeste. Cuire à 100 %
  jusqu'à ce que la sauce
  devienne épaisse et
  ajouter les raisins.
— Napper les cailles de la
  sauce.

*Rassembler les ingrédients
nécessaires à la préparation de
cette recette simple et savoureuse
qui impressionnera vos invités.*

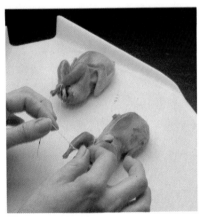

Trousser les cailles avec une ficelle résistante, pour qu'elles ne se défassent pas en cours de cuisson.

Mélanger tous les ingrédients entrant dans la préparation de la sauce.

Disposer les cailles sur une plaque à bacon, les cuisses vers le centre du four et la poitrine sur le dessus.

Poulet à la Kiev

Complexité	🍴🍴
Temps de préparation	45 min
Coût par portion	$ $
Nombre de portions	4
Valeur nutritive	309 calories 31,0 g de protéines 5,6 mg de fer
Équivalences	3 oz de viande 2 portions de gras
Temps de cuisson	8 min
Temps de repos	aucun
Intensité	70 %
Inscrivez ici votre temps de cuisson	

Ingrédients
2 poitrines de poulet désossées
2 jaunes d'œufs battus

Beurre assaisonné
50 ml (1/4 tasse)
de beurre
1 ml (1/2 c. à thé)
de ciboulette
1 ml (1/2 c. à thé)
de poivre blanc
2 gousses d'ail écrasées

Chapelure
125 ml (1/2 tasse) de
céréales Corn Flakes
émiettées
60 ml (4 c. à soupe)
de parmesan râpé
5 ml (1 c. à thé) de persil
5 ml (1 c. à thé) de paprika

Préparation
— Mélanger tous les
  ingrédients du beurre
  assaisonné; réfrigérer
— Diviser les poitrines en
  4 portions égales, les
  placer entre deux feuilles
  de papier ciré, puis les
  marteler pour les réduire
  à 0,5 cm (1/4 po)
  d'épaisseur.
— Mélanger tous les
  ingrédients de la
  chapelure.
— Déposer une noix de
  beurre assaisonné sur
  chaque poitrine, les
  rouler, les passer dans
  les jaunes d'œufs puis
  dans la chapelure;
  attacher chaque poitrine
  roulée avec un
  cure-dents.

— Disposer les poitrines
  sur une clayette et cuire
  sans couvrir 4 minutes à
  70 %, en tournant le plat
  à la mi-cuisson.
— Déplacer les poitrines
  à la périphérie du plat
  vers le centre et
  poursuivre la cuisson à
  70 % 4 minutes, ou
  jusqu'à ce qu'elles soient
  cuites.

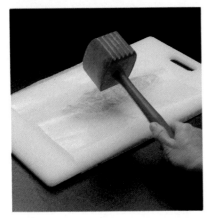

Placer les poitrines entre deux feuilles de papier ciré, puis les marteler pour les réduire à 0,5 cm (1/4 po) d'épaisseur.

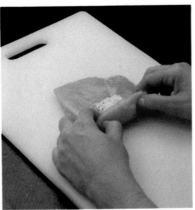

Après avoir déposé un peu de beurre assaisonné sur chaque poitrine, les rouler soigneusement.

Tremper les poitrines roulées dans l'œuf battu, puis les enrober de chapelure avant de les cuire.

Poulet farci au céleri et aux noix

Complexité	
Temps de préparation	20 min
Coût par portion	$
Nombre de portions	4
Valeur nutritive	404 calories 36 g de protéines 2,8 mg de fer
Équivalences	4 1/2 oz de viande 1 portion de légumes 1 portion de gras
Temps de cuisson	22 min/kg (10 min/lb)
Temps de repos	10 min
Intensité	100 %, 70 %
Inscrivez ici votre temps de cuisson	

Ingrédients
1 poulet de 900 g (2 lb)
15 ml (1 c. à soupe) de beurre
15 ml (1 c. à soupe) de concentré de poulet

Farce
1 branche de céleri émincée
1 oignon haché
45 ml (3 c. à soupe) de beurre
45 ml (3 c. à soupe) de noisettes hachées
100 ml (3/8 tasse) de chapelure préparée
jus et zeste de 1/2 orange

Préparation
— Fondre le beurre
20 secondes à 100 %,
ajouter le concentré de
poulet laisser de côté.

— Pour préparer la farce,
cuire le céleri et l'oignon
2 minutes à 100 %, puis
ajouter tous les autres
ingrédients; assaisonner
au goût.
— Farcir le poulet et le
badigeonner du
mélange de beurre et de
concentré.
— Déposer le poulet au
centre d'une clayette et
cuire à 70 % pendant
22 min/kg (10 min/lb),
en tournant le plat à la
mi-cuisson.
— Laisser reposer
10 minutes avant de
servir.

Poulet au safran

Complexité	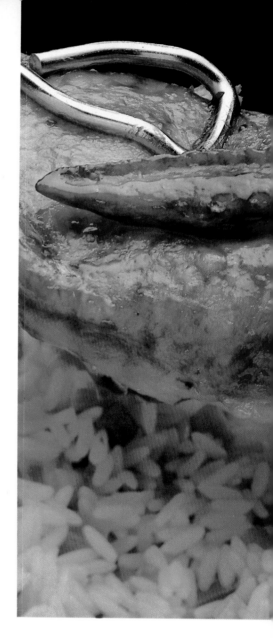 🍴
Temps de préparation	15 min
Coût par portion	$
Nombre de portions	4
Valeur nutritive	360 calories 27,1 g de protéines 2,8 mg de fer
Équivalences	4 oz de viande 1 portion de lait 1 portion de légumes 1 portion de gras
Temps de cuisson	22 min/kg (10 min/lb) + 16 min
Temps de repos	5 min
Intensité	100 %, 70 %
Inscrivez ici votre temps de cuisson	

Ingrédients

1 poulet de 1 à 1,5 kg (2 à 3 lb) dépecé en 4 morceaux, soit 2 poitrines avec les ailes et 2 cuisses avec une partie du dos
125 ml (1/2 tasse) de céleri coupé finement
125 ml (1/2 tasse) d'oignon coupé finement
300 ml (1 1/4 tasse) de bouillon de poulet chaud
15 ml (1 c. à soupe) de persil
poivre
5 ml (1 c. à thé) de safran
250 ml (1 tasse) de riz
30 ml (2 c. à soupe) de beurre fondu
30 ml (2 c. à soupe) de concentré de poulet
1 boîte de 284 ml (10 oz) de crème de champignons

Préparation

— Cuire le céleri et l'oignon 4 minutes à 100 %, puis ajouter le bouillon, les assaisonnements et le riz.
— Couvrir et cuire 5 minutes à 100 %; diminuer l'intensité à 70 % et poursuivre la cuisson 7 minutes.
— Badigeonner le poulet avec le beurre fondu et le concentré de poulet mélangés.
— Étendre le mélange de riz cuit au fond du plat, ajouter la crème de champignons et déposer le poulet au-dessus, en prenant soin de placer les parties charnues vers l'extérieur.
— Couvrir et cuire à 70 % pendant 22 min/kg (10 min/lb), en tournant le plat à la mi-cuisson.
— Sans découvrir, laisser reposer 5 minutes avant de servir.

Après avoir cuit le céleri et l'oignon, ajouter le bouillon de poulet et faire cuire le riz dans un récipient plat.

Quand le riz aura absorbé le bouillon, ajouter la crème de champignons et les morceaux de poulet préalablement badigeonnés. Disposer les parties charnues vers l'extérieur.

Couvrir avec une pellicule plastique et tourner le plat à la mi-cuisson, pour assurer une cuisson uniforme.

Aromates, épices et condiments pour la volaille

Déjà succulente, la viande de volaille accepte très bien des saveurs plus relevées, sans pour autant perdre la sienne. Marinée, cuite dans un bouillon aromatisé ou simplement assaisonnée, la viande de volaille aura ainsi de quoi plaire à tous les palais. Par exemple, on peut, avec une marinade à sec, lui donner une saveur subtile, à moins qu'on ne préfère le goût plus riche obtenu avec une marinade mouillée. Quant aux assaisonnements, la nature a tout prévu pour relever la saveur de la chair de ces alléchants volatiles.

Épices convenant à la volaille et à ses apprêts

Épice	Volaille	Apprêt
Basilic	Canard	Sauce à l'orange
Feuilles de laurier	Poulet en fricassée	Marinades
Gingembre	Farce	Marinades
Marjolaine	Poulet à la crème Farce Oie	Sauce à la crème sure
Muscade	Poulet	Sauce à la crème
Poudre de cari	Poulet	Marinades
Romarin	Perdrix Chapon Canard	Sauce barbecue
Sarriette	Poulet Farce	Sauce au raifort
Sauge	Oie Dinde Farce	

Pour vos marinades

Marinades mouillées	
À base de...	Remarques
Sauce soja	Donne une belle couleur dorée et un goût piquant.
Vinaigre blanc à l'estragon	Son acidité ramollit les fibres de la chair pour qu'elle s'imprègne bien du parfum des herbes et des épices.
Vinaigre de vin rouge	Attendrit la chair et l'ouvre au parfum des aromates.
Vin rouge	Donne une saveur pleine et riche. Ajouter du cayenne et des oignons pour relever la marinade.
Huile d'olive	En frotter la surface de la volaille et laisser macérer quelques heures avant la cuisson. Donne une belle apparence rôtie à la volaille.

Les marinades invitent une pléiade de condiments. Laissez aller votre imagination et ne craignez pas de faire des expériences.
Vous pouvez en effet choisir parmi les herbes suivantes.
Estragon Herbe piquante au goût légèrement anisé, il doit être utilisé avec discrétion et généralement seul. S'utilise aussi dans les farces.
Persil Pour un goût plus prononcé, utilisez l'espèce à feuilles frisées. Se marie bien à toutes les herbes.
Basilic S'utilise seul de préférence. Son goût épicé convient parfaitement aux marinades à la tomate.
Sauge Son goût âcre impose une utilisation discrète. On l'emploie traditionnellement dans les farces.
Romarin Fort et épicé. N'utilisez qu'avec modération.
Origan Donne tout son parfum lorsqu'il est séché.

Relève bien les marinades et les sauces à la tomate.

Quant aux épices, votre choix est également varié. En voici une liste qui n'a aucune prétention à l'exhaustivité.
La muscade rehausse bien une marinade et convient bien aux sauces à la crème.
Les clous de girofle Leur goût prononcé sied bien aux marinades corsées utilisées pour la cuisson sur un barbecue.
La saveur douce de **la cannelle** convient également très bien à une farce pour canard.
Le paprika s'utilise autant pour sa saveur que pour sa couleur.
Il y a aussi **le safran, le cumin, la coriandre, le macis, le genièvre** qui peuvent tous contribuer aux plaisirs de votre palais.

Salade de poulet

Ingrédients

375 ml (1 1/2 tasse) de poulet coupé en lanières
30 ml (2 c. à soupe) de beurre

75 ml (1/3 tasse) d'amandes
185 ml (6 oz) de yaourt nature
15 ml (1 c. à soupe) de moutarde de Dijon

75 ml (1/3 tasse) de pousses de bambou
125 ml (1/2 tasse) de poivron rouge émincé
125 ml (1/2 tasse) de poivron vert émincé
75 ml (1/3 tasse) de céleri émincé
15 ml (1 c. à soupe) de persil

Complexité	🍴
Temps de préparation	15 min
Coût par portion	$ $
Nombre de portions	4
Valeur nutritive	201 calories 23,8 g de protéines 1,3 mg de fer
Équivalences	2 1/2 oz de viande 1 portion de légumes
Temps de cuisson	3 à 4 min
Temps de repos	aucun
Intensité	100 %
Inscrivez ici votre temps de cuisson	

Préparation

— Fondre le beurre 1 minute à 100 %, ajouter les amandes et les faire rôtir à 100 % de 3 à 4 minutes ou selon votre goût, en remuant toutes les minutes.
— Égoutter et assécher les amandes rôties.
— Préparer la sauce en mélangeant le yaourt et la moutarde.
— Mélanger tous les autres ingrédients et les lier avec la sauce.
— Déposer sur des feuilles de laitue avant de servir.

Une recette à toutes les sauces, pour toutes les occasions

Complexité	
Temps de préparation	30 min
Coût par portion	$
Nombre de portions	4 × 4
Valeur nutritive	472 calories 70,3 g de protéines 4,6 mg de fer
Équivalences	
Temps de cuisson	30 à 35 min
Temps de repos	aucun
Intensité	90 %
Inscrivez ici votre temps de cuisson	

Ingrédients
3,5 à 4 kg (8 à 9 lb) de morceaux de poulet
50 ml (1/4 tasse) de farine
1 oignon haché
1 carotte coupée en dés
30 ml (2 c. à soupe) de bouillon de poulet en poudre instantané
15 ml (1 c. à soupe) de persil séché
5 ml (1 c. à thé) de sel
2 ml (1/2 c. à thé) de basilic
2 ml (1/2 c. à thé) de marjolaine
1 ml (1/4 c. à thé) de poivre

Préparation
— Dans un plat, aligner les morceaux de poulet et les saupoudrer de farine.
— Ajouter tous les autres ingrédients, couvrir et cuire à 90 % de 30 à 35 minutes, ou jusqu'à ce que la viande perde sa couleur rosée, en remuant à plusieurs reprises durant la cuisson.
— Retirer le poulet de son jus de cuisson, désosser et couper en bouchées.
— Remettre le poulet dans le plat avec son jus, laisser refroidir et congeler en 4 portions égales.

Cette recette est conçue pour vous permettre de concocter rapidement les préparations proposées dans les pages suivantes. Pour ce faire, vous n'avez qu'à congeler le poulet cuit et à le décongeler au moment voulu. Vous pourrez alors le trancher, le couper en cubes ou en languettes, le hacher, bref, le servir à toutes les sauces, sous toutes les formes. Vous aurez ainsi un repas délicieux en un tournemain.

Riz pilaf au poulet

Ingrédients

1/4 de recette de base de poulet décongelée (voir recette à la page 58)
125 ml (1/2 tasse) de céleri haché

125 ml (1/2 tasse) de poivron vert haché
10 ml (2 c. à thé) d'huile d'olive
250 ml (1 tasse) de riz à grain long

500 ml (2 tasses) de bouillon de poulet chaud
5 ml (1 c. à thé) de ciboulette
1 ml (1/4 c. à thé) de sel
1 feuille de laurier
125 ml (1/2 tasse) de noix d'acajou

Complexité	🍴
Temps de préparation	10 min
Coût par portion	$ $
Nombre de portions	4
Valeur nutritive	340 calories 22,8 g de protéines 2,7 mg de fer
Équivalences	3 oz de viande 1 portion de pain 1 portion de légumes
Temps de cuisson	16 min
Temps de repos	3 min
Intensité	100 %, 70 %
Inscrivez ici votre temps de cuisson	✏️🍎

Préparation

— Mélanger le céleri, le poivron et l'huile; couvrir et cuire à 100 % de 2 à 3 minutes, ou jusqu'à ce que les légumes deviennent tendres.

— Ajouter le riz, le bouillon, les aromates et le poulet.

— Couvrir et cuire 5 minutes à 100 %; diminuer l'intensité à 70 % et poursuivre la cuisson 8 minutes.

— Ajouter les noix, couvrir à nouveau et laisser reposer 3 minutes avant de servir.

Poulet grand-père

Complexité	🍴
Temps de préparation	15 min
Coût par portion	**$**
Nombre de portions	4
Valeur nutritive	472 calories 29 g de protéines 3,6 mg de fer
Equivalences	3 oz de viande 2 portions de légumes 2 portions de pain 1 portion de gras
Temps de cuisson	25 min
Temps de repos	aucun
Intensité	100 %
Inscrivez ici votre temps de cuisson	

Ingrédients
1/4 de recette de base de poulet décongelée (voir recette à la page 58)
45 ml (3 c. à soupe) de farine
375 ml (1 1/2 tasse) de carottes tranchées minces
875 ml (3 1/2 tasses) de pommes de terre en cubes
375 ml (1 1/2 tasse) de bouillon de poulet
2 ml (1/2 c. à thé) de sel
0,5 ml (1/8 c. à thé) de romarin
0,5 ml (1/8 c. à thé) de poivre

Grands-pères
375 ml (1 1/2 tasse) de farine
15 ml (1 c. à soupe) de persil séché
1 ml (1/4 c. à thé) de sarriette
10 ml (2 c. à thé) de poudre à pâte
2 ml (1/2 c. à thé) de sel
150 ml (5/8 tasse) de lait
1 œuf
30 ml (2 c. à soupe) d'huile à salade
30 ml (2 c. à soupe) de graines de pavot

Préparation
— Dans un faitout, mélanger le poulet et la farine. Ajouter tous les autres ingrédients, couvrir et cuire 20 minutes à 100 %, en remuant à la mi-cuisson.

— Pendant ce temps, préparer les grands-pères. Mélanger tous les ingrédients secs. Dans un autre bol, battre le lait, l'œuf et l'huile. Combiner les deux mélanges et battre pour obtenir un mélange uniforme.

— Avec une cuillère, verser les grands-pères sur le poulet, sur le pourtour du bol.

— Couvrir et cuire à 100 % 5 minutes, ou jusqu'à ce que les grands-pères soient bien cuits.

Poulet au vin et aux fines herbes

Complexité	🍴
Temps de préparation	10 min
Coût par portion	$ $
Nombre de portions	6
Valeur nutritive	377 calories 57 g de protéines 2,9 mg de fer
Équivalences	5 oz de viande 1 portion de pain
Temps de cuisson	1 h
Temps de repos	aucun
Intensité	100 %, 90 %, 70 %
Inscrivez ici votre temps de cuisson	

Ingrédients
1 poulet de 1,3 kg (3 lb)
1 oignon coupé en quartiers
2 gousses d'ail
1 boîte de 284 ml (10 oz) de consommé de bœuf
125 ml (1/2 tasse) de vin blanc
125 ml (1/2 tasse) d'eau
5 ml (1 c. à thé) de romarin
5 ml (1 c. à thé) de marjolaine
125 ml (1/2 tasse) de riz à grain long
sel et poivre

Préparation
— Insérer 1 quartier d'oignon et 1 gousse d'ail à l'intérieur du poulet.
— Frotter la peau du poulet avec l'autre gousse d'ail et déposer le poulet de façon que la poitrine touche le fond.
— Disposer les 3 autres quartiers d'oignon autour du poulet. Réserver.
— Mélanger le consommé, le vin et l'eau, ajouter les aromates et porter à ébullition à 100 %.
— Verser le mélange sur le poulet, couvrir la cocotte et cuire 30 minutes à 90 %.
— Retourner le poulet sur lui-même et l'arroser. Tourner le plat d'un demi-tour et ajouter le riz.
— Couvrir à nouveau et poursuivre la cuisson à 70 % 20 minutes, ou jusqu'à ce que le poulet soit cuit.

Rassembler les ingrédients nécessaires à la préparation de cette recette simple et savoureuse.

TRUCS

Pour obtenir une peau sans texture humide

La volaille est sans contredit l'un des aliments les plus populaires auprès des adeptes de la cuisson aux micro-ondes. Toutefois, certains d'entre eux déplorent que la peau de la volaille soit encore humide quand la cuisson est complétée. Il est facile de remédier à cette situation. Pour obtenir une peau plus croustillante, il suffit d'enrober la peau de la volaille de craquelins émiettés ou de chapelure avant la cuisson.

Il est aussi possible de faire griller la peau de la volaille quelques minutes dans le four traditionnel après avoir parachevé la cuisson aux micro-ondes. Une autre solution, qui réduit considérablement le nombre de calories, consiste à retirer la peau du poulet avant la cuisson et de badigeonner la chair d'une sauce pour brunir.

Poulet au citron

Complexité	
Temps de préparation	10 min
Coût par portion	$
Nombre de portions	6
Valeur nutritive	187 calories 35,7 g de protéines 1,5 mg de fer
Équivalences	3 oz de viande 1 portion de gras
Temps de cuisson	22 min/kg (10 min/lb)
Temps de repos	10 min
Intensité	70 %, 100 %
Inscrivez ici votre temps de cuisson	

Utiliser un plat dont le format est approprié à la dimension de la volaille.

Ingrédients
1 poulet de 2 kg (4 lb)
1 citron
15 ml (1 c. à soupe) de persil
paprika
crème à 10 %
15 ml (1 c. à soupe) de fécule de maïs
45 ml (3 c. à soupe) d'eau

Préparation
— Zester le citron et en extraire le jus.
— Badigeonner le poulet avec le jus de citron et saupoudrer du persil et du paprika
— Déposer le poulet au centre d'une clayette et cuire à 70 % pendant 22 min/kg (10 min/lb), en tournant le plat à la mi-cuisson.
— Enrober de papier d'aluminium, la surface la moins lustrée vers l'extérieur, laisser reposer 10 minutes.
— Préparer la sauce en ajoutant de la crème au jus de cuisson, pour obtenir 500 ml (2 tasses) de liquide.
— Cuire à 100 % en brassant toutes les 2 minutes.
— Pour épaissir le mélange, ajouter la fécule de maïs préalablement délayée dans l'eau, et poursuivre la cuisson à 100 % 2 minutes, en remuant après 1 minute; ajouter le zeste de citron.

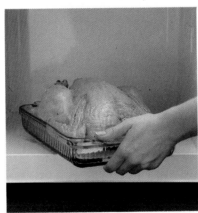

Déposer le poulet au centre du plat et verser le jus du citron sur le poulet, avant de le saupoudrer de persil et de paprika.

Déposer le poulet au four. Faire pivoter le plat d'un demi-tour à la mi-cuisson.

Enrober le poulet cuit de papier d'aluminium, la surface lustrée vers l'intérieur, puis préparer la sauce.

Poulet à l'orange

Complexité	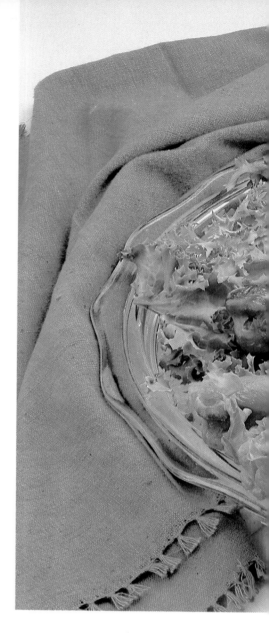
Temps de préparation	15 min
Coût par portion	$ $
Nombre de portions	3
Valeur nutritive	676 calories 35,6 g de protéines 3,1 mg de fer
Équivalences	4 oz de viande 1 portion de fruits 1 1/2 portion de pain
Temps de cuisson	23 min
Temps de repos	10 min
Intensité	100 %, 70 %
Inscrivez ici votre temps de cuisson	

Ingrédients
6 pilons de poulet
50 ml (1/4 tasse)
de farine
5 ml (1 c. à thé) de paprika
5 ml (1 c. à thé) de sel
2 ml (1/2 c. à thé) de poivre
50 ml (1/4 tasse) d'huile
175 ml (3/4 tasse)
de jus d'orange
125 ml (1/2 tasse)
de marmelade d'oranges
5 ml (1 c. à thé)
de zeste d'orange
45 ml (3 c. à soupe)
de fécule de maïs
125 ml (1/2 tasse)
d'eau froide
50 ml (1/4 tasse)
d'amandes effilées

Préparation
— Mélanger la farine, le paprika, le sel et le poivre; fariner les cuisses de poulet.
— Préchauffer le plat à rôtir 7 minutes à 100 %; faire revenir les pilons
— Mélanger le jus d'orange, la marmelade et le zeste, puis chauffer à 100 % de 1 à 2 minutes.
— Délayer la fécule de maïs dans l'eau froide et incorporer à la sauce.
— Cuire à 100 % jusqu'à ce que le mélange devienne épais, en remuant toutes les minutes.
— Disposer les pilons en orientant les parties charnues vers l'extérieur, verser la sauce et ajouter les amandes.
— Couvrir et cuire de 18 à 20 minutes à 70 %, en brassant et en faisant pivoter le plat d'un demi-tour à la mi-cuisson.
— Laisser reposer 10 minutes avant de servir.

Dans un sac, fariner
soigneusement le poulet avec le
mélange de farine, de paprika, de
sel et de poivre.

Préchauffer un plat à rôtir avant
de commencer la cuisson, afin de
saisir les pilons.

Disposer les pilons, les parties
charnues vers l'extérieur, verser
la sauce, ajouter les amandes et
couvrir avant de mettre au four.

Nouilles aux foies de poulet

Complexité	🍴
Temps de préparation	15 min
Coût par portion	$
Nombre de portions	4
Valeur nutritive	361 calories 31,6 g de protéines 9,97 mg de fer
Équivalences	3 oz de viande 1 portion de pain 1 portion de légumes 1 portion de gras
Temps de cuisson	10 min *
Temps de repos	aucun
Intensité	100 %, 70 %
Inscrivez ici votre temps de cuisson	

* Il faut compter le temps de cuisson des nouilles.

Ingrédients

450 g (1 lb) de foies de poulet
225 g (1/2 lb) de fettuccine
15 ml (1 c. à soupe) de beurre
50 ml (1/4 tasse) de parmesan râpé
1 oignon tranché mince
150 ml (5/8 tasse) de champignons frais tranchés minces
60 ml (1/4 tasse) de poivron vert finement haché
45 ml (3 c. à soupe) de persil frais émietté
1 ml (1/4 c. à thé) de sel
1 pincée de poudre d'ail
1 tomate coupée en fines tranches

Préparation

— Cuire les fettuccine selon la méthode habituelle, les verser dans une casserole et ajouter 5 ml (1 c. à thé) de beurre et le parmesan; bien mélanger pour faire fondre le beurre. Laisser de côté.
— Verser 10 ml (2 c. à thé) de beurre dans un plat; y cuire tous les légumes, sauf la tomate, à 100 % de 1 1/2 à 2 minutes, ou jusqu'à ce qu'ils deviennent tendres. Ajouter les tranches de tomate.
— Assaisonner et remuer. Piquer les foies, les ajouter aux légumes et cuire à 70 % de 5 à 7 minutes, en remuant à la mi-cuisson. Réserver.
— Chauffer les fettuccine à 100 % 1 minute et remuer.
— Ajouter les foies de poulet et les légumes cuits.
— Saupoudrer de parmesan avant de servir.

Piquer les foies avec une fourchette avant de les cuire.

Après avoir fait cuire les légumes dans le beurre, ajouter les tranches de tomate.

Quand le mélange de foies et de légumes est cuit, réchauffer les fettuccine et les recouvrir de la préparation obtenue.

69

Brochettes de poulet

Complexité	🍴
Temps de préparation	10 min
Coût par portion	$ $
Nombre de portions	4
Valeur nutritive *	143 calories 20,5 g de protéines 1,5 mg de fer
Équivalences *	2 oz de viande 1 portion de légumes
Temps de cuisson	8 min
Temps de repos	aucun
Intensité	90 %
Inscrivez ici votre temps de cuisson	

* Calculées en fonction des ingrédients prévus.

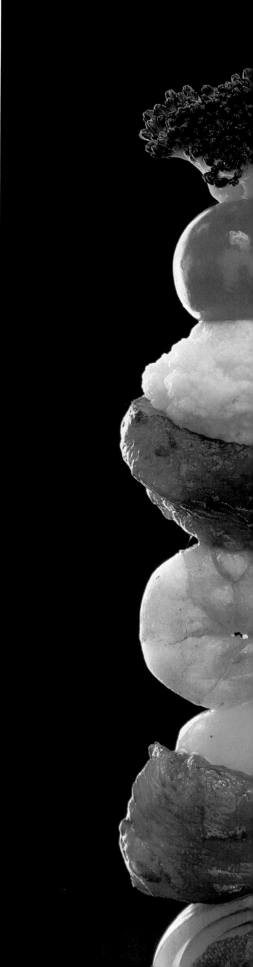

Ingrédients
2 demi-poitrines de poulet désossées, sans peau et coupées en cubes
1 poivron vert coupé en gros morceaux
1 oignon coupé en quartiers
champignons entiers
1/2 orange avec sa pelure, coupée en sections: brocoli, chou-fleur, carotte, poireau, choux de Bruxelles, oignons verts (queues), oignon rouge, poivron rouge, pêche, tomate, cerise, crevettes, courgettes

Sauce Teriyaki
15 ml (1 c. à soupe) d'huile
15 ml (1 c. à soupe) de sauce soja
1 gousse d'ail émincée
5 ml (1 c. à thé) de gingembre moulu
2 ml (1/2 c. à thé) de sucre

Préparation
— Mélanger tous les ingrédients de la sauce.
— Sur des tiges de bois, enfiler en alternance un cube de poulet, un morceau de poivron et d'oignon, un champignon et un morceau d'orange.
— Badigeonner de sauce chacune des brochettes.
— Déposer les brochettes sur un plat carré et cuire de 6 à 8 minutes à 90 % en les retournant à la mi-cuisson.

Ailes de poulet à l'ail

Complexité	🍴
Temps de préparation	5 min
Coût par portion	$
Nombre de portions	4
Valeur nutritive	266 calories 27,2 g de protéines 2,1 mg de fer
Équivalences	3 oz de viande 1 portion de sucre
Temps de cuisson	20 min
Temps de repos	5 min
Intensité	100 %
Inscrivez ici votre temps de cuisson	

Ingrédients

1 kg (2 1/4 lb) d'ailes
de poulet
1 pot de 341 ml (12 oz)
de sauce VH
50 ml (1/4 tasse)
de cassonade
2 gousses d'ail émincées
30 ml (2 c. à soupe)
de fécule de maïs

Préparation

— Mélanger la sauce VH, la
cassonade et l'ail et cuire
à 100 % 5 minutes, ou
jusqu'à ébullition.
— Délayer la fécule de maïs
dans de l'eau et ajouter
à la sauce.
— Déposer les ailes de
poulet dans un plat et
les napper de sauce.
— Couvrir et cuire de 15 à
18 minutes à 100 %, en
remuant à la mi-cuisson.
— Laisser reposer
5 minutes avant de
servir.

Languettes de dinde à l'orientale

Ingrédients

450 g (1 lb) d'escalopes de dinde coupées en languettes
30 ml (2 c. à soupe) d'huile
125 ml (1/2 tasse)
de carottes émincées
125 ml (1/2 tase)
de bouquets de brocoli
125 ml (1/2 tasse)
de bouquets de chou-fleur
125 ml (1/2 tasse) de pois mange-tout
2 oignons verts coupés en longueur
2 gousses d'ail émincées
5 ml (1 c. à thé) de gingembre en pâte ou frais
15 ml (1 c. à soupe) de sauce soja
250 ml (1 tasse) de bouillon de poulet chaud
15 ml (1 c. à soupe) de fécule de maïs diluée dans 50 ml (1/4 tasse) d'eau

Complexité	
Temps de préparation	30 min
Coût par portion	$ $
Nombre de portions	4
Valeur nutritive	330 calories 38,2 g de protéines 1,8 mg de fer
Équivalences	3 1/2 oz de viande 2 portions de légumes 1 portion de gras
Temps de cuisson	20 min
Temps de repos	aucun
Intensité	100 %, 70 %
Inscrivez ici votre temps de cuisson	

Préparation

— Préchauffer un plat à rôtir 7 minutes à 100 %, y verser l'huile et remettre au four à 100 % pendant 30 secondes.
— Faire revenir les légumes dans le plat à rôtir préchauffé, puis ajouter la dinde.
— Cuire le tout 5 minutes à 70 %.
— Ajouter le bouillon de poulet et la sauce soja et amener à ébullition dans le four à 100 %.
— Ajouter la fécule de maïs diluée dans l'eau froide et cuire 1 à 2 minutes à 100 % jusqu'à épaississement.
— Servir au sortir du four.

Poitrines de poulet suprême

Complexité	 (icône)
Temps de préparation	20 min
Coût par portion	$ $
Nombre de portions	4
Valeur nutritive	468 calories 43,6 g de protéines 3,2 mg de fer
Équivalences	5 oz de viande 2 portions de légumes 1 portion de gras
Temps de cuisson	30 min
Temps de repos	5 min
Intensité	100 %, 70 %
Inscrivez ici votre temps de cuisson	

Ingrédients
4 demi-poitrines de poulet désossées, sans peau
90 ml (6 c. à soupe) de beure ou d'huile
283 g (10 oz) de champignons coupés en morceaux
90 ml (6 c. à soupe) de farine
1 l (4 tasses) de bouillon de poulet chaud
60 ml (4 c. à soupe) de pâte de tomates
90 ml (6 c. à soupe) de cheddar râpé
jus de citron
sel et poivre

Préparation
— Dans un plat à rôtir, faire fondre le beurre 2 minutes à 100 %, y déposer les morceaux de poulet et cuire 5 minutes à 70 %; OU préchauffer le plat 7 minutes à 100 % ajouter l'huile et chauffer à 100 % 30 secondes, puis faire revenir les morceaux de poulet et ensuite cuire à 70 % 5 minutes.
— Retirer le poulet du plat, verser les champignons dans ce qui reste de beurre ou d'huile et cuire 4 minutes à 100 %.
— Ajouter la farine et mélanger rapidement.
— Ajouter le bouillon de poulet chaud, la pâte de tomates et remuer.
— Remettre le poulet, couvrir et cuire 10 minutes à 70 %.
— Ajouter quelques gouttes de jus de citron, le cheddar, le sel et le poivre.
— Cuire 3 minutes à 70 % et laisser reposer à couvert 5 minutes avant de servir.
— Couper la viande en bouchées et servir sur un nid de nouilles.

Faire cuire les morceaux de poulet ou les faire dorer dans un plat à rôtir préchauffé. Retirer le poulet après l'opération.

Cuire les champignons, puis ajouter la farine, le bouillon de poulet et la pâte de tomates. Remettre le poulet.

Ajouter du jus de citron et le fromage cheddar râpé avant de compléter la cuisson. Couper les demi-poitrines en bouchées avant de servir.

Poitrines de poulet en cocotte

Complexité	
Temps de préparation	15 min
Coût par portion	**$**
Nombre de portions	4
Valeur nutritive	482 calories 42,4 g de protéines 3,7 mg de fer
Équivalences	4 oz de viande 1 portion de pain 2 portions de légumes 1 portion de gras
Temps de cuisson	25 min
Temps de repos	5 min
Intensité	100 %, 70 %
Inscrivez ici votre temps de cuisson	

Ingrédients
2 poitrines de poulet
1 sachet de soupe
à l'oignon
50 ml (1/4 tasse)
de cassonade
50 ml (1/4 tasse) de sauce
chili
1 boîte de 284 ml (10 oz)
de crème de champignons
150 ml (5 oz) d'eau
4 pommes de terre
tranchées mince
4 carottes tranchées mince
1 oignon tranché
3 branches de céleri
tranchées

Préparation
— Mélanger tous les
ingrédients.
— Couvrir et cuire à 100 %
10 minutes, diminuer
l'intensité à 70 % et
poursuivre la cuisson
15 minutes ou jusqu'à ce
que les poitrines soient
cuites, en remuant à la
mi-cuisson.
— Laisser reposer
5 minutes sans
découvrir.

Poulet citronné au persil

Complexité	
Temps de préparation	30 min
Coût par portion	**$**
Nombre de portions	6
Valeur nutritive	204 calories 25,6 g de protéines 2 mg de fer
Équivalences	3 oz de viande
Temps de cuisson	22 min/kg (10 min/lb)
Temps de repos	aucun
Intensité	100 %, 70 %
Inscrivez ici votre temps de cuisson	

Ingrédients
1 poulet de 1,5 kg (3 lb)
1 citron
30 ml (2 c. à soupe) de persil haché
10 ml (2 c. à thé) d'estragon
1 gousse d'ail pilée
4 fines tranches de citron coupées en dés

Sauce
jus d'un citron
15 ml (1 c. à soupe) de fécule de maïs
10 ml (2 c. à thé) de persil
1 pincée de basilic
15 ml (1 c. à soupe) de beurre
sel

Préparation
— Zester le citron et en extraire le jus; mélanger le zeste, le jus, le persil, les aromates et l'ail, et chauffer 40 secondes à 100 %.
— Badigeonner le poulet avec le mélange obtenu, le déposer dans une clayette et cuire à 70 % 22 min/kg (10 min/lb).
— Retirer le poulet et le recouvrir de papier d'aluminium, le côté le moins lustré à l'extérieur; réserver le jus de cuisson.
— Préparer la sauce en mélangeant le jus de citron au jus de cuisson du poulet, puis en ajoutant de l'eau pour obtenir 175 ml (3/4 tasse) de liquide.
— Incorporer tous les autres ingrédients, sauf le beurre, et cuire 4 minutes à 70 %, en brassant à la mi-cuisson.
— Lorsque la sauce devient épaisse, ajouter le beurre.
— Retirer le papier, couper le poulet en morceaux; napper de sauce et parsemer de dés de citron avant de servir.

Pour rehausser le goût d'une volaille, il est de bon aloi d'en frotter toute la surface avec une gousse d'ail.

On peut aussi l'aromatiser avec un mélange liquide. Ajouter des fines herbes et autres aromates à un peu de jus de citron et badigeonner.

TRUCS

Pour une peau croustillante

Pour obtenir une peau moins humide, enrober le poulet de craquelins émiettés ou de chapelure avant la cuisson. Pour une peau vraiment croustillante, faire rôtir le poulet au gril du four traditionnel après la cuisson au four à micro-ondes.

Poulet au gingembre

Complexité	🍴
Temps de préparation	15 min*
Coût par portion	$
Nombre de portions	6
Valeur nutritive	262 calories 39,1 g de protéines 2,5 mg de fer
Équivalences	4 oz de viande 1/4 portion de pain
Temps de cuisson	23 min
Temps de repos	3 min
Intensité	100 %, 90 %
Inscrivez ici votre temps de cuisson	

* **Le poulet doit macérer pendant au moins 6 heures.**

Ingrédients
1 poulet de 2 kg (4 lb)
coupé en morceaux
2 jaunes d'œufs battus
5 ml (1 c. à soupe) d'eau

Marinade
125 ml (1/2 tasse)
de bouillon de poulet
75 ml (1/3 tasse)
de sauce soja
30 ml (2 c. à soupe)
d'oignon finement haché
1 gousse d'ail pilée
15 ml (1 c. à soupe)
de jus de lime
15 ml (1 c. à soupe)
de zeste de lime
7 ml (1/2 c. à soupe)
d'huile de sésame

Panure
10 biscuits de blé entier
émiettés
2 ml (1/2 c. à thé) de
poudre d'ail
5 ml (1 c. à thé) de
gingembre

Préparation
— Mélanger tous les
  ingrédients de la
  marinade et cuire
  3 minutes à 100 %, en
  brassant à la mi-cuisson.
— Déposer les morceaux de
  poulet dans la marinade
  et les y laisser pendant
  6 heures au réfrigérateur,
  en brassant à quelques
  reprises.
— Mélanger les ingrédients
  de la panure.
— Assécher les morceaux

de poulet, les tremper
dans le jaune d'œuf
délayé dans l'eau et les
paner.
— Disposer les morceaux
  dans une clayette, la
  partie charnue vers
  l'extérieur, et cuire à
  90 % 8 minutes.
— Retourner les morceaux
  et faire pivoter la
  clayette, puis poursuivre
  la cuisson à 90 %
  8 minutes, ou jusqu'à ce
  que le poulet devienne
  tendre.
— Laisser reposer
  3 minutes avant de
  servir.

Après avoir mélangé et fait cuire tous les ingrédients de la marinade, y déposer les morceaux de poulet et les laisser macérer 6 heures au réfrigérateur.

Retirer les morceaux de poulet et les assécher soigneusement avec du papier essuie-tout.

Tremper les morceaux dans le jaune d'œuf, les paner et les disposer sur une clayette avant de les cuire.

Poule au pot

Complexité	🍴🍴
Temps de préparation	40 min
Coût par portion	$ $
Nombre de portions	8
Valeur nutritive	470 calories 38 g de protéines 3,7 mg de fer
Équivalences	5 oz de viande 1/4 portion de pain 2 portions de légumes 1 portion de gras
Temps de cuisson	50 min
Temps de repos	10 min
Intensité	100 %, 70 %
Inscrivez ici votre temps de cuisson	

Ingrédients
1 poulet de 2 kg (4,4 lb)
8 blancs de poireau
8 carottes coupées en biseau
1 navet coupé en lanières
8 feuilles de chou
2 branches de céleri
1 oignon piqué de 5 clous de girofle
1 pincée de quatre-épices
sel et poivre
625 ml (2 1/2 tasses) d'eau

Farce
450 g (1 lb) de chair à saucisse
2 oignons finement hachés
2 gousses d'ail
2 œufs
250 ml (1 tasse) de mie de pain humectée de lait
30 ml (2 c. à soupe) de persil haché

Préparation
— Mettre le poulet dans un sac à cuisson avec l'eau, et cuire 5 minutes, à 100 %; diminuer l'intensité à 70 % et poursuivre la cuisson 15 minutes.
— Cuire le poireau, les carottes et les lanières de navet 5 minutes à 100 %.
— Mélanger tous les ingrédients de la farce.
— Farcir le poulet avec le tiers de la préparation obtenue.
— Farcir les feuilles de chou avec le reste de farce.
— Déposer le poulet et son bouillon de cuisson, de même que les choux farcis et les légumes dans une cocotte.
— Assaisonner, couvrir et cuire 25 minutes à 70 %.
— Laisser reposer 10 minutes avant de servir.

Mettre le poulet dans un sac à cuisson et le fermer de la façon indiquée à la page 21; placer le sac dans un plat et cuire.

Dans une casserole séparée, cuire le poireau, les carottes et les lanières de navet.

Retirer le poulet du sac et le déposer dans un autre plat. Ajouter les légumes cuits et poursuivre la cuisson.

Poulet à la king

Complexité	🍴
Temps de préparation	20 min.
Coût par portion	$
Nombre de portions	6
Valeur nutritive	486 calories 42,1 g de protéines 2,4 mg de fer
Équivalences	4 oz de viande 1/2 portion de lait 1 portion de légumes 3 portions de gras
Temps de cuisson	10 min
Temps de repos	aucun
Intensité	100 %, 70 %
Inscrivez ici votre temps de cuisson	

Ingrédients

750 ml (3 tasses) de poulet cuit, coupé en dés
75 ml (1/3 tasse) de beurre
1/2 oignon tranché émincé
75 ml (1/3 tasse) de céleri finement coupé
75 ml (1/3 tasse) de farine
250 ml (1 tasse) de bouillon de poulet
250 ml (1 tasse) de lait
125 ml (1/2 tasse) de crème à 15 %
1 ml (1/4 c. à thé) de moutarde sèche
2 ml (1/2 c. à thé) de sauce Worcestershire
125 ml (1/2 tasse) de carottes cuites coupées en cubes

75 ml (1/3 tasse) de pois verts (en conserve)

Préparation

— Fondre le beurre
  1 minute à 100 %.
— Ajouter l'oignon et le céleri, et cuire 2 minutes à 100 %.
— Incorporer la farine et bien mélanger.
— Ajouter le bouillon de poulet et le lait, et cuire à 100 % jusqu'à ce que la sauce prenne consistance, en brassant toutes les 2 minutes.
— Ajouter la crème, le reste des ingrédients ainsi que le poulet et chauffer 4 minutes à 70 %, en remuant à la mi-cuisson.

— Servir avec des timbales chaudes.

Dans un bol, fondre 75 ml
(1/3 tasse) de beurre. Ajouter
l'oignon et le céleri, et cuire
2 minutes à 100 %.

À l'aide d'un fouet, incorporer la
farine et mélanger jusqu'à ce que
la consistance devienne lisse.

Toujours en fouettant, ajouter le
bouillon de poulet et le lait.

Quiche au poulet et au brocoli

Complexité	 (deux icônes de fourchette/couteau)
Temps de préparation	30 min
Coût par portion	$
Nombre de portions	6
Valeur nutritive	491 calories 21,2 g de protéines 2,3 mg de fer
Équivalences	3 oz de viande 2 portions de légumes 1 portion de pain 3 portions de gras
Temps de cuisson	20 min
Temps de repos	10 min
Intensité	70 %, 50 %, 100 %
Inscrivez ici votre temps de cuisson	

Ingrédients

Pâte
500 ml (2 tasses) de farine de blé entier
125 ml (1/2 tasse) de graisse végétale
2 ml (1/2 c. à thé) de sel
45 ml (3 c. à soupe) d'eau
2 ml (1/2 c. à thé) d'épices pour volaille

Garniture
250 ml (1 tasse) de poulet cuit
30 ml (2 c. à soupe) de beurre
125 ml (1/2 tasse) d'amandes hachées
1 paquet de 284 ml (10 oz) de brocoli haché décongelé
250 ml (1 tasse) de fromage suisse râpé
30 ml (2 c. à soupe) de farine
2 ml (1/2 c. à thé) de sel
1 pincée de poivre
125 ml (1/2 tasse) de crème à 15 %
3 œufs légèrement battus
30 ml (2 c. à soupe) de beurre
1 ml (1/4 c. à thé) de cayenne

Préparation
— Mélanger tous les ingrédients de la pâte et pétrir pour former une boule.
— Abaisser la pâte et la répartir uniformément dans une assiette à tarte de 23 cm (9 po) de diamètre.
— Piquer le fond de l'abaisse avec une fourchette.
— Cuire à 70 % 6 minutes ou jusqu'à ce que la pâte devienne croustillante, en tournant l'assiette à la mi-cuisson. Laisser de côté.
— Fondre le beurre, ajouter les amandes et cuire à 100 % 2 à 3 minutes pour les dorer.
— Mélanger tous les autres ingrédients de la garniture et les verser dans la croûte de tarte; garnir avec les amandes.
— Cuire 8 minutes à 50 %

en tournant l'assiette à la mi-cuisson.
— Tourner l'assiette à nouveau et poursuivre la cuisson à 50 % jusqu'à ce qu'il y ait une légère écume à la surface de la quiche.
— Couvrir et laisser reposer 10 minutes avant de servir.

Abaisser la pâte dans une assiette, la répartir uniformément et piquer le fond de l'abaisse avec une fourchette.

Quand tous les ingrédients de la garniture ont été bien mélangés, les verser sur la croûte de tarte et cuire le tout.

87

Omelette au poulet

Complexité	 🍴
Temps de préparation	20 min
Coût par portion	**S**
Nombre de portions	4
Valeur nutritive	366 calories 35,8 g de protéines 3,9 mg de fer
Équivalences	4 oz de viande 2 portions de légumes 1 portion de gras
Temps de cuisson	18 min
Temps de repos	3 min
Intensité	100 %, 70 %
Inscrivez ici votre temps de cuisson	

Ingrédients
1 poitrine de poulet cuite, coupée en cubes
30 ml (2 c. à soupe) de beurre
50 ml (1/4 tasse) de courgette en morceaux
250 ml (1 tasse) de brocoli coupé en petits morceaux
125 ml (1/2 tasse) de champignons
30 ml (2 c. à soupe) de farine
250 ml (1 tasse) de bouillon de poulet
4 blancs d'œufs
4 jaunes d'œufs
50 ml (1/4 tasse) de lait

Préparation
— Fondre le beurre 45 secondes à 100 %, ajouter les morceaux de courgette et de brocoli et cuire de 3 à 4 minutes à 100 %.
— Ajouter le poulet et cuire de 6 à 7 minutes à 70 %; incorporer les champignons et poursuivre la cuisson à 70 % 2 minutes.
— Verser la farine et bien mélanger, ajouter le bouillon de poulet et cuire à 100 % jusqu'à épaississement, en brassant toutes les 2 minutes. Couvrir et laisser de côté.
— Monter les blancs d'œufs en neige, ajouter les jaunes et le lait.
— Avec une fourchette, brasser légèrement en 2 ou 3 coups.
— Verser les œufs dans une grande assiette à tarte et cuire 3 à 4 minutes à 70 % sans couvrir, jusqu'à ce que leur consistance devienne onctueuse, en remuant à la mi-cuisson.
— Couvrir et laisser reposer 3 minutes; verser le mélange de poulet sur l'omelette et replier.

Dans un plat, cuire les morceaux de courgette et de brocoli ainsi que le poulet dans le beurre préalablement fondu.

Verser le mélange d'œufs et de lait dans une assiette à tarte. Avec une fourchette, remuer la préparation pour obtenir une cuisson uniforme.

Répartir également le mélange de poulet et de légumes cuits sur toute la surface de l'omelette et replier.

Feuilles de chou farcies au poulet

Complexité	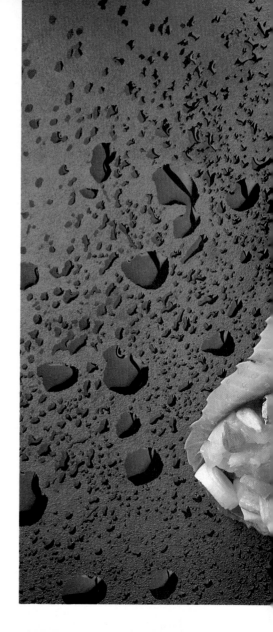
Temps de préparation	15 min
Coût par portion	**$**
Nombre de portions	4
Valeur nutritive	249 calories 31 g de protéines 2,5 mg de fer
Équivalences	3 oz de viande 1/2 portion de fruits
Temps de cuisson	7 min
Temps de repos	aucun
Intensité	100 %, 90 %
Inscrivez ici votre temps de cuisson	

Ingrédients
350 g (12 0z) de poulet cuit en dés
4 grosses feuilles de chou cuites
1 boîte de 398 ml (14 oz) d'ananas broyé, égoutté
1 poivron vert haché
4 oignons verts hachés
2 ml (1/2 c. à thé) de gingembre haché
45 ml (3 c. à soupe) de graines de tournesol

Préparation
— Mélanger l'ananas, les oignons verts, le poivron et le gingembre.
— Cuire à 100 % 3 minutes ou jusqu'à ce que les légumes deviennent tendres.
— Ajouter les dés de poulet et les graines de tournesol; bien mélanger.
— Déposer une partie de la préparation obtenue au centre de chaque feuille de chou.
— Replier les feuilles de chou et les attacher avec un cure-dents, puis couvrir et cuire de 3 à 4 minutes à 90 %.
— Servir avec du riz et napper d'une sauce aigre-douce.

Rassembler tous les ingrédients de cette recette simple et rapide à préparer.

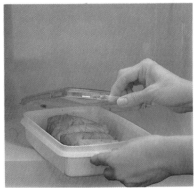

Détacher les feuilles de chou et les farcir du mélange de fruits et légumes, du poulet et des graines de tournesol.

Replier les feuilles de chou farcies sur elles-mêmes, et les attacher avec un cure-dents pour qu'elles conservent leur forme pendant la cuisson.

Aligner les feuilles de chou au fond d'un plat, recouvrir et cuire de 3 à 4 minutes à 90 %.

91

Fettuccine verdi

Complexité	🍴
Temps de préparation	15 min
Coût par portion	$
Nombre de portions	4
Valeur nutritive	501 calories 26,1 g de protéines 1,9 mg de fer
Équivalences	3 oz de viande 2 portions de pain 1 portion de légumes 1 portion de gras 1/2 portion de lait
Temps de cuisson	32 min
Temps de repos	3 min
Intensité	100 %, 70 %
Inscrivez ici votre temps de cuisson	

Rassembler tous les ingrédients de cette délicieuse recette qui plaira à tous les amateurs de cuisine italienne.

Ingrédients
250 ml (1 tasse) de poulet cuit
225 g (1/2 lb) de fettuccine
5 tranches de bacon
625 ml (2 1/2 tasses) de lait
30 ml (2 c. à soupe) de farine
30 ml (2 c. à soupe) de beurre
1 petit oignon haché
1 tête de poireau
1 branche de céleri hachée
poivre à l'ail
sel d'oignon
persil
parmesan râpé

Préparation
— Cuire les fettuccine dans la quantité d'eau bouillante requise 12 minutes à 100 %, en remuant toutes les 3 minutes.
— Disposer le bacon sur une clayette et cuire 5 minutes à 100 %.
— Mélanger le lait, la farine et le beurre, et cuire 6 minutes à 100 %, en brassant toutes les 2 minutes.
— Précuire les légumes 4 minutes à 100 %.

— Incorporer les légumes, le bacon et le poulet à la sauce, assaisonner et bien mélanger.
— Déposer les fettuccine au fond du plat et verser la sauce.
— Saupoudrer de parmesan et de persil, et cuire de 5 à 6 minutes à 70 %.
— Couvrir et laisser reposer 3 minutes avant de servir.

Poulet cacciatore

Complexité	🍴
Temps de préparation	20 min
Coût par portion	💲 💲
Nombre de portions	4
Valeur nutritive	443 calories 36,3 g de protéines 3,1 mg de fer
Équivalences	4 oz de viande 3 portions de légumes 2 portions de gras
Temps de cuisson	18 min
Temps de repos	5 min
Intensité	100 %, 70 %
Inscrivez ici votre temps de cuisson	

Ingrédients
2 poitrines de poulet
entières
30 ml (2 c. à soupe)
de beurre
1 oignon haché
1 gousse d'ail hachée
50 ml (1/4 tasse)
de champignons
125 ml (1/2 tasse)
de poivron vert
1 boîte de 398 ml (14 oz) de
sauce tomate à l'italienne
50 ml (1/4 tasse)
de parmesan râpé

Préparation
— Couper les poitrines en
   deux et les désosser.
   Laisser de côté.
— Fondre le beurre
   40 secondes à 100 %,
   ajouter tous les légumes
et cuire de 3 à 4 minutes
à 100 %;
incorporer la sauce
tomate.
— Déposer les poitrines au
   fond d'un plat et les
   napper de sauce.
— Couvrir et cuire
   7 minutes à 70 %.
— Faire pivoter le plat,
   changer la disposition
   des poitrines et napper à
   nouveau.
— Couvrir et cuire à 70 %
   7 minutes, ou jusqu'à ce
   que les poitrines soient
   cuites.
— Saupoudrer de
   parmesan, couvrir et
   laisser reposer 5 minutes
   avant de servir sur un lit
   de nouilles.

TRUCS ◖◉

**Pour que le poulet soit
vraiment tendre**
Il peut arriver qu'un
poulet cuit au four à
micro-ondes ait une
texture un peu moins
tendre que s'il est cuit
dans un four traditionnel.
Dans bien des cas, une
chair sèche est imputable à
une surcuisson; il est donc
très important de ne cuire
le poulet que le temps
nécessaire. Une bonne
façon d'éviter que ce genre

de situation ne se produise consiste également à faire mariner le poulet non cuit dans une marinade ou dans une sauce Teriyaki.

La décongélation des cuisses de poulet
Les cuisses de poulet surgelées qu'on trouve sont très souvent serrées sous un même emballage de sorte qu'il est impossible de les séparer avant de les mettre au four. Pour surmonter ce problème, placer le poulet emballé au four à micro-ondes pour un bref cycle de

décongélation. Retirer ensuite l'emballage et retirer les cuisses. S'il est encore impossible de les séparer, les remettre au four en bloc par périodes de 2 minutes.
Dès que possible, disposer les cuisses en cercle sur un plat à bacon en ayant soin de placer les parties charnues vers l'extérieur. Diviser le temps d'exposition aux micro-ondes en périodes égales entrecoupées de périodes de repos équivalentes au quart du temps total de décongélation.

À la mi-décongélation, faire pivoter le plat d'un demi-tour afin d'assurer une décongélation uniforme. À la fin de la décongélation, laisser reposer les cuisses 10 minutes, les rincer à l'eau froide, puis bien les éponger.

Couscous au poulet et aux crevettes

Complexité	🍴
Temps de préparation	30 min
Coût par portion	$ $
Nombre de portions	8
Valeur nutritive	299 calories 37,9 g de protéines 2,7 mg de fer
Équivalences	3 oz de viande 2 portions de légumes 1/2 portion de pain
Temps de cuisson	30 min
Temps de repos	5 min
Intensité	100 %, 70 %
Inscrivez ici votre temps de cuisson	

Ingrédients

250 ml (1 tasse) de semoule
500 ml (2 tasses) d'eau froide salée
1,3 kg (3 lb) de poulet coupé en morceaux, sans peau
225 g (1/2 lb) de petites crevettes décortiquées
125 ml (1/2 tasse) de poivron rouge coupé en lanières
125 ml (1/2 tasse) de poivron vert coupé en lanières
1 oignon moyen haché
1 boîte de 540 ml (19 oz) de tomates
175 ml (3/4 tasse) de bouillon de poulet
1 boîte de 284 ml (10 oz) d'asperges coupées en deux

Préparation

— Laisser tremper la semoule dans l'eau 15 minutes, en remuant toutes les 5 minutes.
— Pour cuire, mettre la semoule dans une passoire à petits trous placée sur un faitout contenant un peu d'eau bouillante.
— Couvrir d'une pellicule plastique et cuire de 6 à 8 minutes à 100 %, en tournant la passoire à la mi-cuisson.
— Mélanger les poivrons et l'oignon et cuire de 3 à 4 minutes à 100 %.
— Ajouter les tomates et le bouillon de poulet; verser le mélange sur les crevettes, le poulet et les asperges réunis.
— Couvrir et cuire à 70 % 10 minutes. Faire pivoter le plat et poursuivre la cuisson à 70 % 12 minutes, ou jusqu'à ce que tous les ingrédients soient cuits.
— Sans découvrir, laisser reposer 5 minutes avant de servir avec la semoule.

Votre table d'hôte

À quoi cela sert-il d'attendre les fêtes de Pâques et de Noël pour se délecter de dinde lorsqu'il est possible d'en trouver en toute saison? Nous vous proposons donc un menu avec une dinde farcie comme plat principal. Rien ne saurait mieux conclure un livre de recettes consacré à la volaille.

Devenue un mets classique dès son avènement en Angleterre au XVIIᵉ siècle, la dinde n'a cessé depuis lors de charmer les gourmets et les gourmands du monde occidental.
La garniture proposée est également un classique de la cuisine du Nouveau Monde : la sauce aux canneberges. Or, nous avons pensé qu'il serait de bon goût d'amadouer la saveur quelque peu acidulée des canneberges en y associant des poires. Le mariage, vous en conviendrez, est des plus heureux. Le tout se prépare en un rien de temps et les résultats sont surprenants.

En entrée, la soupe aux légumes offrira aux meilleurs appétits de quoi se mettre sous la dent.

Enfin, nous avons cru opportun d'alléger le repas en suggérant un dessert délicat, tout en couleur et en fraîcheur : le sorbet aux fraises.

De la recette à votre table
Pour éviter que la préparation d'un repas auquel sont conviés plusieurs amis ou parents ne devienne une corvée, il faut bien la planifier. Un repas complet préparé au four à micro-ondes se planifie, il va sans dire, de la même façon que si l'on utilisait un four traditionnel. Seuls les temps de cuisson et de réchauffage changent.

24 heures avant...
Préparer la sauce aux canneberges.

8 heures avant...
Faire le sorbet aux fraises et préparer la farce.

4 heures avant...
Faire la soupe.

3 heures avant...
Farcir, préparer et faire cuire la dinde.

20 minutes avant...
Réchauffer la soupe à 90 % pendant 10 à 15 minutes, en remuant une fois à la moitié du temps de réchauffage.

NOTE Quant aux légumes d'accompagnement, le choix est vôtre. Nous pouvons cependant vous suggérer une macédoine, ce qui ne manquera pas d'ajouter de la couleur à vos assiettes.
Il est préférable d'avoir fait cuire les légumes au préalable et de les réchauffer quelques minutes avant le service.

Soupe aux légumes

Ingrédients

1,5 l (6 tasses) de bouillon de bœuf
4 carottes coupées en rondelles
250 ml (1 tasse) de navet coupé en cubes
4 poireaux coupés en rondelles
1 oignon coupé en quartiers
3 branches de céleri coupées en dés
2 poivrons rouges coupés en dés
2 poivrons verts coupés en dés
1 boîte de 796 ml (28 oz) de tomates

Préparation

— Précuire les carottes et le navet 10 minutes à 100 %, dans très peu d'eau et à couvert.
— Mélanger le reste des ingrédients et cuire 30 minutes à 100 %.
— Remuer vigoureusement et poursuivre la cuisson à 100 %, jusqu'à ce que tous les légumes soient cuits.

Sauce aux canneberges et aux poires

Ingrédients

500 ml (2 tasses) de
canneberges
250 ml (1 tasse) de poires
râpées
1 clou de girofle
1 pincée de quatre-épices
175 ml (3/4 tasse) de sucre
50 ml (1/4 tasse) de porto
50 ml (1/4 tasse) d'eau
15 ml (1 c. à soupe) de jus
de citron

Préparation

— Mélanger tous les
ingrédients, couvrir et
cuire 10 minutes à
100 %, en remuant à la
mi-cuisson.
— Passer au tamis et
réfrigérer.

Dinde farcie

Complexité	(symbole)
Temps de préparation	30 min
Coût par portion	$ $
Nombre de portions	16
Valeur nutritive	546 calories 76,7 g de protéines 4,9 mg de fer
Équivalences	6 oz de viande 1/2 portion de pain 1 portion de gras
Temps de cuisson	20 à 22 min/kg (8 à 10 min/lb)
Temps de repos	10 min
Intensité	70 %, 100 %
Inscrivez ici votre temps de cuisson	

Ingrédients
1 dinde de 5 à 6 kg (12 lb)
jus de citron
épices pour volaille
poivre
paprika
farce préparée
sac à cuisson

Farce
500 ml (2 tasses) de riz cuit
450 g (1 lb) de bœuf haché maigre
50 ml (1/4 tasse) d'oignon finement haché
250 ml (1 tasse) de céleri haché
45 ml (3 c. à soupe) de beurre
poivre
sarriette
épices pour volaille

Préparation
— Pour préparer la farce, faire revenir l'oignon et le céleri dans le beurre de 2 à 4 minutes à 100 %, puis ajouter le bœuf haché et poursuivre la cuisson à 100 % de 4 à 5 minutes, en remuant 2 fois.
— Incorporer le riz et assaisonner au goût.
— Nettoyer et assécher la dinde, puis retirer les abattis.
— Badigeonner la dinde de jus de citron et l'assaisonner au goût.
— Remplir la cavité de la dinde avec la farce déjà préparée; coudre ou placer une tranche de pain pour maintenir la farce en place.
— Placer la dinde dans un sac à cuisson et la déposer dans un plat allant au four à micro-ondes.
— Cuire à 70 % de 20 à 22 min/kg (8 à 10 min/lb), en retournant la dinde sur elle-même et en faisant pivoter le plat d'un demi-tour 2 fois durant la cuisson.
— Laisser reposer la dinde 10 minutes.

Sorbet aux fraises

Ingrédients

175 ml (3/4 tasse) de sucre
500 ml (2 tasses) d'eau
50 ml (1/4 tasse) de miel
250 ml (1 tasse) de fraises broyées
15 ml (1 c. à soupe) de jus de citron

Préparation

— Mélanger le sucre, l'eau et le miel, et chauffer à 100 % jusqu'à ébullition.
— Poursuivre la cuisson jusqu'à ce que le mélange devienne sirupeux, en remuant toutes les 2 minutes.
— Laisser reposer 10 minutes, ajouter les fraises et le jus de citron et mélanger.
— Mettre au congélateur de 1 à 2 heures, en remuant toutes les 10 minutes, pour éviter la formation de cristaux.

Variations sur le thème de la farce

La cuisine non seulement permet mais stimule l'expérimentation. Les gens des métiers de bouche n'organisent-ils pas périodiquement des concours internationaux pour primer les créations des meilleurs d'entre eux? Bien que l'on ne puisse s'improviser grand chef, il n'en demeure pas moins possible d'ajouter une touche personnelle à des préparations de base dans le but de rehausser les mets servis, et, pourquoi pas, de surprendre les convives. C'est pour cela que nous avons décidé de vous présenter ici non pas des recettes de farces mais bien des suggestions de variations que vous pourrez adapter en fonction de vos goûts et fantaisies.
Ainsi, on trouve la farce de dinde classique, faite à base de pain rassis en croûtons. Après avoir fait rissoler les croûtons, on y ajoute des ingrédients et des aromates qui conviennent particulièrement bien à la volaille : céleri, ail, persil et fines herbes, puis on mélange le tout à des abattis cuits.

Pour obtenir une saveur quelque peu différente, on peut ajouter aux abattis de la chair à saucisse relevée d'un peu d'ail, de poivre et de muscade puis on mélange le tout à une préparation de légumes ou de croûtons.

À ceux et celles qui chercheraient à mettre un peu de couleur à leur farce, nous suggérons l'incorporation de légumes (des épinards, par exemple). Après les avoir blanchis, pressés puis hachés, on les incorpore aux abattis. Les résultats seront aussi délicieux que le goût sera différent.

TRUCS

La vérification de la cuisson

Pour vérifier la cuisson de la dinde avant le temps de repos, procéder de la façon suivante : insérer un thermomètre à viande entre la cuisse et la poitrine, le faire tourner 2 ou 3 fois et attendre 1 minute. La température doit avoir atteint 82°C (185°F).
Si tel n'est pas le cas, retirer le thermomètre et poursuivre la cuisson.

Attention! Ne jamais utiliser de thermomètre à viande à l'intérieur d'un four à micro-ondes en fonctionnement. Utiliser plutôt un thermomètre spécialement conçu à cette fin, en observant les instructions du fabricant.

Les mots de la volaille

Abattis : Parties comestibles de volailles ne faisant pas partie de la carcasse. Ce terme désigne donc le foie, le cœur, le cou, les pattes, les ailerons, la crête, le gésier et les rognons de coq.

Aiguillette : Longs morceaux de viande coupés très minces, détachés de la poitrine des volailles.

Aspic : Gelée claire d'aliments obtenue par réduction et refroidissement d'un fond de cuisson gélatineux.

Béchamel : Sauce de base faite de lait et de roux (voir ce mot), plus ou moins consistante selon l'emploi auquel elle est destinée. De préparation facile, elle rehausse bien la volaille.

Beurre clarifié : Beurre fondu duquel, après repos, on n'a conservé que l'huile claire. Ainsi traité, le beurre reste frais plus longtemps et peut être amené sans fumer à des températures plus élevées que le beurre ordinaire.

Beurre noir : Beurre obtenu après avoir été chauffé jusqu'à ce qu'il prenne une coloration noirâtre, auquel souvent on ajoute du jus de citron.

Beurre noisette : Beurre obtenu après avoir été chauffé jusqu'à ce qu'il prenne une coloration blonde, presque brunâtre, auquel souvent on ajoute du jus de citron.

Bréchet : Partie osseuse, saillante et verticale, située sur la face externe de la plupart des volailles. (La chair de la poitrine y est rattachée.)

Brider : Attacher une volaille, au moyen d'une ficelle, avant de la faire cuire pour lui conserver sa forme pendant la cuisson.

Ciboule : Petit oignon vert dont toutes les parties sont comestibles.

Corser : Donner plus d'arôme et de saveur à une sauce, soit par concentration ou réduction, soit par addition d'aromates ou autres substances.

Daube : Plat de viande ou de volaille et de légumes braisés pendant plusieurs heures à court mouillement (dans un peu de liquide).

Débrider : Retirer, après la cuisson, les ficelles maintenant les ailes et les pattes d'une volaille (voir **brider**).

Décanter : Transvaser lentement et délicatement un liquide qui a déposé de manière à ne pas soulever le dépôt au fond de l'ustensile.

Effilocher : Séparer, avec une fourchette ou avec les doigts, une substance en petits filaments.

Escaloper : Découper ou défaire, en tranches plus ou moins minces, des viandes, des légumes ou des poissons.

Étamine : Mousseline tissée lâche, ou toile de fromage, servant à filtrer les sauces et les crèmes.

Fourchette : Os en forme de V qui joint l'extrémité du bréchet (voir ce mot) à l'épaule.

Farce : Ensemble d'aliments hachés et épicés utilisé pour apprêter un pâté, une volaille, un légume, etc.

Flamber : Passer au-dessus d'une flamme les volailles pour les débarrasser de leurs plumes.

Garniture : Aliment, généralement un ou plusieurs légumes, employé pour garnir un mets et en augmenter la portion.

Gésier : Partie du tube digestif d'une volaille. S'utilise dans une farce ou pour la préparation d'un fond.

Hachis : Façon d'apprêter une viande, une volaille. Le mélange est généralement lié d'une sauce brune ou blanche.

Lever : Découper un membre d'une volaille.

Pilaf : Plat de riz avec viande et légumes.

Raidir : Passer vivement une substance dans le beurre ou dans tout autre corps gras brûlant.

Roussir : Passer au beurre brûlant, ou dans tout autre corps gras, une viande ou une volaille afin de lui donner de la couleur.

Roux : Mélange cuit de farine et beurre qui sert de liant à des sauces ou d'autres mets.

Sot-l'y-laisse : Morceau à la chair très fine se trouvant de chaque côté de la carcasse d'une volaille, au-dessus du croupion (assez peu apparent pour que le «sot-l'y-laisse» par ignorance).

Trousser : Attacher les cuisses et les ailes d'une volaille.

Les appellations culinaires

Vous est-il déjà arrivé de lire un menu et de ne pas comprendre les mots utilisés pour nommer un plat? Les appellations culinaires sont en effet nombreuses et leur origine souvent obscure.

Par ailleurs, il existe presque autant de façons d'apprêter la volaille qu'il y a de jours dans l'année, et chacune se mérite un nom. Pour vous aider à vous y reconnaître, nous avons préparé ce court glossaire.

À la livournaise : Préparation à base d'huile, de vinaigre, de poivre et de muscade.

À la marseillaise : Préparation à base d'ail, de poivrons verts, de tomates et de jus de citron.

À la reine : Préparation de sauce suprême (à base de velouté de poulet) mêlée à de la crème fouettée.

Bonne femme : Préparation à base de vin blanc, d'oignons, de lard et de pommes de terre.

Chasseur : Préparation à base de champignons, d'oignons verts et de vin blanc.

Garibaldi : Préparation à base de moutarde, d'ail et de cayenne.

Marengo : Préparation de sauce chasseur agrémentée d'ail.

Niçoise : Préparation à base d'ail, de tomates, d'anchois et d'olives noires.

Polignac : Préparation de sauce au vin blanc agrémentée de crème, et servie avec une julienne de champignons.

Printanière : Préparation à base de velouté de veau et de fines herbes.

Soubise : Préparation à base d'oignons, de cayenne et de béchamel adoucie avec de la crème.

Index

Ont collaboré à la Grande Collection Micro-Ondes :

Choix de recettes et assistance technique :
École de cuisine Bachand-Bissonnette
Conseillers culinaires :
Michèle Émond, Denis Bissonnette
Diététiste :
Christiane Barbeau
Photos :
Laramée Morel Communications Audio-Visuelles
Stylisme :
Claudette Taillefer
Adjoints : Anne Gagné
           Nathalie Deslauriers
           Sylvain Lavoie
Accessoiristes : Andrée Cournoyer
Rédaction : Communications
           La Griffe Inc.
Révision des textes : Cap et bc inc.
Montage : Marc Vallières
           Vital Lapalme
           Carole Garon
           Jean-Pierre Larose

Directeur de la production :
Gilles Chamberland
Directeur artistique et responsable du projet :
Bernard Lamy
Conseillers spéciaux :
Roger Aubin
Joseph R. De Varennes
Gaston Lavoie
Kenneth H. Pearson
Réalisation :
Le Groupe Polygone Éditeurs Inc.

Les éditeurs de la Grande Collection Micro-Ondes considèrent que les informations qu'elle contient sont exactes. Toutefois, la publication de l'ouvrage n'entraîne aucune garantie quant aux résultats des préparations culinaires. De plus, les éditeurs n'assument aucune responsabilité concernant l'usage des recommandations et indications données.

Nous remercions les maisons PIER 1 IMPORTS et LE CACHE POT de leur participation à l'illustration de cette encyclopédie.